Himmel, der nirgendwo endet

Das Buch

»Das kleine Mädchen, von den Großen Meta genannt, sitzt auf dem Grund des alten Regenfasses und schaut in den Himmel. Der Himmel ist blau und sehr tief. Manchmal treibt etwas Weißes über dieses Stückchen Blau, und das ist eine Wolke. Meta liebt das Wort Wolke. Wolke ist etwas Rundes, Fröhliches und Leichtes.«
Metas Welt ist das Forsthaus mit all seinen Menschen, Tieren und Pflanzen, die es zu entdecken und erforschen gilt. Eine Welt voller neuer großer Eindrücke und Erfahrungen, die Meta nach und nach zu einem Ganzen zusammensetzen muß ... Einfühlsam und phantasievoll erzählt Marlen Haushofer aus jenem Reich, dessen Himmel nirgendwo endet – aus dem Reich der Kindheit.

Die Autorin

Marlen Haushofer wurde am 11. April 1920 in Frauenstein/Oberösterreich geboren. Sie studierte Germanistik in Wien und Graz und lebte später mit ihrem Mann und zwei Kindern in Steyr. Marlen Haushofer starb am 21. März 1970 in Wien. Obwohl sie unter anderem 1968 mit dem Österreichischen Staatspreis für Literatur ausgezeichnet wurde, hatten ihre Bücher erst nach ihrem Tod großen Erfolg, als die Frauenbewegung sie für sich entdeckte.

In unserem Hause sind von Marlen Haushofer
bereits erschienen:

Bartls Abenteuer
Die Mansarde
Schreckliche Treue. Gesammelte Erzählungen
Die Wand
Wir töten Stella / Das fünfte Jahr. Novellen

Marlen Haushofer

Himmel, der nirgendwo endet

Roman

List Taschenbuch

Besuchen Sie uns im Internet:
www.list-taschenbuch.de

Ungekürzte Ausgabe im List Taschenbuch
List ist ein Verlag der Ullstein Buchverlage GmbH, Berlin.
1. Auflage Mai 2005
4. Auflage 2011

Umschlaggestaltung: Hauptmann und Kompanie Werbeagentur, München
Titelabbildung: © mauritius/superstock
Papier: Munken Print von Arctic Paper Munkedals AB, Schweden
Druck und Bindearbeiten: CPI – Clausen & Bosse, Leck
Printed in Germany
ISBN 978-3-548-60572-2

Für meinen Bruder

Das kleine Mädchen, von den Großen Meta genannt, sitzt auf dem Grund des alten Regenfasses und schaut in den Himmel. Der Himmel ist blau und sehr tief. Manchmal treibt etwas Weißes über dieses Stückchen Blau, und das ist eine Wolke. Meta liebt das Wort Wolke. Wolke ist etwas Rundes, Fröhliches und Leichtes.

Meta sitzt strafweise im Regenfaß. Sie hat die Großen bei der Heuernte gestört und geärgert. Sie ist zweieinhalb Jahre und kann nicht über den Faßrand blicken; eingefangen, festgehalten und eingesperrt zu werden ist das Schlimmste, was es gibt. Sie würgt an einem Brocken aus Schmerz und Wut, der immer wieder vom Magen in die Kehle steigt und sich nicht schlucken läßt. Ein schreckliches Unrecht ist ihr geschehen. Sie hat eine Weile gebrüllt, jetzt weint sie still vor sich hin. Die Großen sind böse. Sie wird sie einfach fortschicken. So, jetzt sind sie weit weg, und Meta will sie nie wieder sehen. Sie ist ganz allein. Ermattet vom Weinen rutscht sie zu Boden und sitzt auf Moospolstern und kleinen Steinen. Seit Wochen hat es nicht mehr geregnet. Es ist heiß und trocken im Faß. Das Holz ist alt und glänzt silbergrau. Es zieht die kleinen Hände an und läßt sich betasten und streicheln, bis es leise zu summen beginnt. »Mach dir nichts draus; sie werden dich schon wieder holen, die Großen. Ich bin gut und warm, du mußt dich nicht fürchten.« Meta lauscht dem Gesumm und lehnt die Wange gegen die gewölbten Bretter. Zartes rauhes Streicheln und Wärme, die unter die Haut dringt. Sie fängt an das Holz abzuschlecken; es schmeckt vertraut und ein wenig bitter. Der Brocken in ihrer Kehle löst sich, fließt zurück in den Leib und versickert. Das alte Faß ist brav und zum Liebhaben. Aus seinen Rissen, in der Glut vergangener Sommer entstanden, wachsen kleine Moospflanzen und bilden Polster für eine feuchte gekränkte Wange. Immer tiefer hinab gleitet das Kind. Jetzt liegt es auf dem Rücken. Es gibt so viel zu sehen; die eigenen bräunlichen Knie, darüber das silbrige Holz und das Fleckchen Himmel, eine tiefblaue Gasse, die nirgendwo endet. Meta reißt die Augen ganz weit auf, und die Bläue sickert in sie hinein. Das tut sie so lange, bis sie ganz dick und angeschwollen ist und der Himmel verblaßt. Dieses Spiel ist nicht ganz geheuer. Vielleicht mag der Himmel nicht, daß man ihm seine Farbe wegnimmt. Meta schließt die Augen und schickt die Bläue wieder hinauf. Das ist sehr anstrengend, und sie wird müde und leer davon. Als sie endlich die Augen aufschlägt, leuchtet der Himmel wieder tiefblau.

Meta ist ganz und gar getröstet, und immerfort wispert das alte Faß seine unverständlichen Geschichten.

Alle hundert Jahre beugt sich ein Großer, ein Riese, über den Rand, und seine Stimme klingt brummend oder kreischend in die warme Dämmerung. Je nachdem, ob es ein Mann-Riese oder eine Frau-Riese ist. Meta tun die hellen Stimmen in den Ohren weh, deshalb hat sie die Mann-Riesen lieber. Rollende Augen, vorspringende Nasen, Schnurr- und Kinnbärte, nackte schweißglänzende Wangen. Und die Riesen riechen bis auf den Grund des Fasses und verdecken den Himmel mit ihren großen Gesichtern. Meta mag heute die Riesen nicht sehen und schließt die Augen. Wenn sie dann wieder die Lider öffnet, ist da nichts als die tiefe blaue Gasse, das schimmernde Holz und die leise alte Faßstimme. Ein rotbrauner Falter läßt sich auf dem Rand nieder, und wo seine Flügel an die Bläue des Himmels stoßen, zittern goldene Bänder. Später kommt eine Hummel, umkreist brummend das Faß und läßt sich auf Metas Knie nieder. Dort sitzt sie lange und betastet mit ihrem Rüssel die feuchte Haut. Es kitzelt ein wenig, aber Meta regt sich nicht.

Die Hummel erweckt ihr Verlangen. Sie möchte sie fangen und anfassen, aber sie weiß, die Hummel mag nicht festgehalten werden. Endlich, das Gekrabbel ist schon fast nicht mehr auszuhalten, muß Meta leise auflachen, und die Hummel schießt mit einem zornigen kleinen Schrei in die endlose Himmelsgasse hinein, wird ein goldener Punkt und ist verschwunden.

Dann geschieht lange, lange Zeit gar nichts. Gewisper, Sirren von Gräsern, ferne Rufe von der Wiese her und der süße Geruch nach frischem Heu. Etwas drückt Metas Augen zu. Und da kommt ein Riese, ein Riese, den sie noch nie gesehen hat, und beugt sich über das Faß. Sein Bart ist rot und gelockt; er hat große blaue Augen und Haare, die in wilden Büscheln um seinen Kopf stehen. Seine Wangen sind dick und braunrot, und er zeigt breite weiße Zähne. Schön und schrecklich sieht er aus. Meta starrt hinauf in das feuchte Gesicht und atmet schweren Heugeruch. Die blauen Augen sind voll wilder Freude und voll Spott. Das ist kein braver Riese, aber auch kein böser. Sicher ist es der Riesenkönig. Jetzt wirft er den Kopf zurück und stößt ein tiefes, brüllendes Lachen aus.

Meta fährt hoch und sitzt ganz gerade. Der Riese ist fort, und der Himmel ist grau geworden. Aber das Gebrüll kann sie noch immer hören. Langsam wird es zu einem fernen Grollen. Meta fürchtet sich. Im Faß ist es fast ganz dunkel. Es stellt sich tot und hat aufgehört zu wispern. Das alte Faß hat auch Angst. Das ermuntert Meta ein bißchen. Sie streichelt die rauhe Wand und flüstert Trostworte. Aber das Faß bleibt stumm. Es hat sich ganz und gar in sein altes Holz verkrochen. Und da ist wieder das Gebrüll des Riesen. Es kommt vom Wald her. Dort stapft er jetzt über Bäume und Büsche und schüttelt zornig seinen roten Bart. Meta legt sich auf den Bauch und preßt das Gesicht ins Moos. Ein fremder Geruch steigt daraus auf, nach Finsternis und Verlassenheit.

Die Großen vergessen das Kind im Regenfaß nicht. Nachdem das letzte Fuder Heu eingebracht ist und als die ersten Regentropfen niederklatschen, befreien sie es aus seinem Gefängnis. Aber Meta hat die Großen ganz vergessen. Erstaunt starrt sie in die lachenden, aufgeregten Gesichter. »Aha«, sagen die Großen, »es hat also doch genützt, jetzt ist sie endlich brav. Man darf ihr einfach nicht alles hingehen lassen.« Meta weiß nicht, wovon sie reden. Sie ist sehr müde, und irgend etwas Wichtiges, dem sie auf der Spur gewesen ist, hat sich vor den lärmenden Großen verkrochen. Und sie fassen sie viel zu fest an. Sie zerren an ihren Haaren und bohren ihre dicken Finger in das sanfte junge Fleisch. Meta fängt an zu weinen und verbirgt ihr Gesicht an einer vertraut riechenden Brust. Dann verebben alle Geräusche, und es wird leer und still. Meta hat sich in den Schlaf geflüchtet.

Die ganze Welt stürmt auf Meta ein. Tausend Gerüche bedrängen ihre Nase, tausend Geräusche ihr Ohr, und die kleinen Hände tasten Glattes, Rauhes, Feuchtes, Trockenes, Heißes und Kaltes; ein Fetzchen Samt, ein schiefriges Holzscheit, Riesenhaut und Hundefell; die scharfe Glätte der Gräser und die ganz andere Glätte von Kieselsteinen. Und da ist auch noch der eigene Leib, der sich schmerzlich krümmt. Oder die kleinen Finger und Zehen wollen vor Freude schreien. Die Haut auf den Armen kräuselt sich, und Meta weiß nicht, soll sie lachen oder weinen. Alles ist ganz unsicher. Meta lernt und lernt, und wenn es zuviel wird, schnappt etwas in ihrem Kopf ein und läßt sie in Schlaf versinken. Schlägt sie die Augen auf, ist alles wieder da; das Brausen, die Gerüche und die Dinge, die sich in ihre Hände schmiegen. Sie ist sehr beschäftigt. Die Welt ist ein großes Durcheinander, das sie, Meta, in Ordnung bringen muß. Steinchen für Steinchen setzt sie aneinander, aber selten wird etwas Rundes daraus. Wenn sie die Welt einfach auffressen könnte, wäre sie aller Bedrängnis enthoben. Aber sie kann die Welt nicht auffressen, und so weiß sie nie, was im nächsten Augenblick geschehen wird. Was wird ihr hinter der Tür entgegentreten, wird süßer Duft aufsteigen oder beißender Gestank, wird das Blatt, das sie anfaßt, ihre Hand kühlen oder verbrennen? Es gibt gar keine Sicherheit.

Da ist Mama: sie besteht aus vielen Teilen; aus einem dunklen Zopf, der bei Tag aufgesteckt ist und nachts hin und her baumelt auf dem weißen Nachthemd. Der Zopf riecht sehr angenehm. Mamas Hände sind warm und rund. Manchmal tun sie wohl und manchmal weh. Mama hat eine Brust, an die Meta den Kopf lehnen, und einen Schoß, auf dem sie sitzen kann. Ob die blaue Schürze ganz zu Mama gehört, ist ungewiß, denn sie ist nicht immer da. Mamas Stimme ist liebevoll und geduldig oder böse und grell. Nie weiß Meta, wie sie klingen wird. Aber das alles zusammen ist Mama und riecht sehr gut. Sie zeigt Meta Bilderbücher und liest ihr Märchen vor.

Es gibt Hunde, die im Haus herumlaufen, und Hunde, die in Bilderbüchern wohnen. Auch Menschen gibt es in den Büchern, Katzen, Kühe und Hähne. Und ein Haus mit rotem Dach. Aus einem Fenster streckt ein Kind ein Körbchen mit Erdbeeren. Meta möchte wissen, was mit diesen Figuren geschieht, wenn Mama das Buch zuschlägt. Ganz heimlich schleicht sie sich an und klappt das Buch wieder auf. Da stehen sie noch immer starr und unbewegt. Meta ist sicher, daß sie sich nur über sie lustig machen. Nachts, wenn alles schläft, springen sie aus dem Buch heraus und spielen in der Stube. Einmal ist das Kind mit den Erdbeeren an Metas Bett getreten, und der kleine schwarz-weiß gefleckte Hund ist auch dabeigewesen. Das Kind ist nicht lieb; Meta fürchtet sich ein bißchen vor ihm, aber den Hund möchte sie gern wiedersehen. Und er kommt auch wieder. Er legt seine Pfoten auf den Rand des Gitterbettes, und Meta spürt seinen heißen Atem auf der Wange. Und gerade wie sie sich freudig aufsetzt, macht es einen lauten Donnerschlag, und der Hund ist weg. Meta schreit vor Schreck. Mama sagt: »Du hast geträumt. Der Hund war nur in deinem Kopf, nicht wirklich.« Meta glaubt ihr nicht; wie käme ein ganzer Hund in ihren Kopf. Entschlossen klettert sie aus dem Bett. Sie muß unbedingt den Hund finden, er kann noch nicht weit gelaufen sein. Sicher wartet er in der Küche auf sie. Aber sie kommt nicht weit, sie verhaspelt sich in ihr langes Nachthemd, und Mama fängt sie ein und trägt sie ins Bett zurück. Meta brüllt vor Wut. Sie bekommt ein paar Klapse und weint sich in den Schlaf.

Die Großen sind leider sehr lästig. Alle stellen sich Meta in den Weg und hindern sie an ihren Forschungen. Nur weil sie so groß sind, muß man ihnen gehorchen. Aber einmal wird sie ihnen entwischen und einfach weglaufen. Oh, wie lästig die Großen sind! Meta muß Wolljacken anziehen, wenn es heiß ist, und ihre Zehen, die so gern in feuchter Erde wühlen, werden in harte Schuhe gezwängt. Und sie darf nie tun, was so wichtig für sie wäre, den Dingen auf den Grund gehen. Und wenn sie das nicht tun darf, wird sie auf der Stelle in winzige Stücke zerspringen; ganz bestimmt, gleich wird es soweit sein.

Vater ist nicht so lästig wie Mama oder Berti, das Mädchen. Die beiden sind den ganzen Tag hinter ihr her. Vater kommt immer gegen Abend nach Hause, und wenn er gegessen hat, nimmt er Meta auf die Knie und erzählt ihr Geschichten. In diesen Geschichten geht es zu wie im Traum. Man weiß nie, was geschehen wird; kleine Mädchen verwandeln sich in Bäume, und wenn sie auf eine Frage keine Antwort wissen, verwandeln sie sich in Nußhäher und fliegen fort über den Wald, und kein Mensch sieht sie jemals wieder. Und alle Hunde können sprechen in Vaters Geschichten, und sie sagen die unglaublichsten Dinge. Mama behauptet, kleine Mädchen können sich nicht in Nußhäher verwandeln und Hunde können niemals reden, aber Meta will das nicht glauben. Freilich, Schlankl, der Jagdhund, redet nicht, aber nur, weil er nicht will. Er versteht jedes Wort, aber aus Eigensinn sagt er nur wuff darauf. Das ist sehr gescheit von ihm, denn wollte er antworten, müßte er gehorchen wie Meta und immerzu dies und das herbeitragen. So wälzt er sich frei und glückselig im Ofenloch. Meta beschließt auch zu schweigen, aber es gelingt ihr nicht. Die Worte springen nur so aus ihrem Mund, und schon heißt es wieder: »Zieh die Jacke an, mach die Tür zu, sei ein braves Kind.«

Meta mag kein braves Kind sein; eine stille tiefe Abneigung gegen alles, was brav ist, wächst in ihr und wird von Tag zu Tag hartnäckiger. Nur wenn Vater »brav« sagt, ist es etwas anderes. Es klingt dann wie: Spielen wir einmal braves Kind; nur so zum Spaß. Er zwinkert dazu mit einem Auge, und alles wird lustig, sogar das Wort »brav«. Leider ärgert Mama sich darüber, und ein Schatten fällt über das Spiel. Meta ahnt, der Vater soll nicht spielen, er soll ernsthaft sein; er soll nicht mit einem Aug' zwinkern und Geschichten erzählen, in denen es zugeht wie im Traum. Sie müssen beide sehr vorsichtig sein. Meta mag nicht, daß Vater und Mama ihretwegen aufeinander böse sind. Dann wird es finster in ihrem Kopf, und sie möchte gar nicht auf der Welt sein. Deshalb bemüht sie sich, brav zu sein, wenn Vater nach Hause kommt. Sie lacht nur gedämpft zu seinen Geschichten und gibt Mama keine frechen Antworten.

Freche Antworten nennt Mama es, wenn Meta sagt, was sie denkt. Es ist so schwierig, nicht zu sagen, was man denkt. Manchmal gelingt es Meta, aber das ist gar nicht lustig; alles miteinander stimmt dann plötzlich nicht mehr. Freche Antworten geben dagegen ist wundervoll, aber nur ganz kurze Zeit. Gleich darauf, wenn Mama böse wird, ist es nicht mehr wundervoll. Auch wenn Meta Sieger bleibt und trotzt; ein dicker schwarzer Kummer bleibt zurück. Das alles ist unverständlich.

Woher kommt der Kummer; wo ist er, wenn er nicht in Metas Bauch sitzt? Und wie könnte man ihm entgehen. Gar nicht, plötzlich ist er da und läßt sich nicht vertreiben. Mama ist böse, und Meta ist böse, aber sie ist die Schwächere. Unter ihrem Bösesein weint das Verlangen nach Mamas kühler Wange, nach ihrem dunklen Zopf und dem Duft, den er ausströmt.

Ganz langsam wächst eine Wand zwischen Mutter und Tochter auf. Eine Wand, die Meta nur in wildem Anlauf überspringen kann; kopfüber in die blaue Schürze, in eine Umarmung, die Mama fast den Hals verrenkt und ihr das Haar aus dem Knoten reißt. »Mußt du denn so wild sein? Entweder du bist verstockt, oder du bringst mich fast um vor lauter Wildheit. Kannst du kein braves, sanftes Kind sein?« Meta kann kein braves, sanftes Kind sein. Verzagtheit überfällt sie und läßt ihre kleinen Arme lahm niedersinken. Der wunderbare Duft entfernt sich. Die Wand ist wieder ein winziges Stück gewachsen.

Der Hund, für den Meta ein Haus aus Holzscheitern baut, hat sich in einen Fichtenzapfen verwandelt, damit er in das kleine Haus paßt. In Wahrheit ist er aber ein Hund und heißt Bergerl. Er hat schwarze Flecken auf weißem Grund und ist nicht nur ein Hund, sondern auch Metas Kind. Bergerl ist sehr schön und duftet nach Harz. Eben teilt er Meta mit, daß er müde ist und schlafen will, und sie nimmt ihr kleines Taschentuch und deckt ihn damit zu. Der Fichtenzapfenhund schließt die Augen und beginnt leise und melodisch zu schnarchen.

Meta besitzt keine Puppe. Man kann ihr keine Puppe schenken, denn sie zerlegt jede in ihre Bestandteile. Sie macht sich gar nichts aus Puppen. Puppen sind kalt und dumm und riechen nach gar nichts. Außerdem sehen sie jeden Tag gleich aus.

Mama sitzt an der Nähmaschine, dem schnurrenden Ungeheuer, das man nicht anfassen darf, und näht weiße Vorhänge fürs Schlafzimmer. Sie ist fröhlich und singt halblaut vor sich hin:

»Es hat keine Dornen die Wasserros',
sie trägt den Frieden in ihrem Schoß.«

Meta weiß nicht, was eine Wasserros' ist, und auch das Wort »Frieden« kennt sie nicht, aber das Lied gefällt ihr. Es klingt so schön traurig und feierlich. Langsam sträuben sich die feinen Härchen auf ihren Armen und Beinen, und sie beginnt zu zittern. Beklommen streichelt sie den schlafenden Bergerl in seinem Holzbett. Die Luft im Zimmer schlägt Wellen und schwillt an und ab mit dem Gesang.

Überhaupt ist heute ein besonderer Tag. Mama ist so froh, das Nähen tut ihr gut. Meta rührt sich nicht. Es ist besser, sie bleibt ganz still und macht sich klein, damit Mama sie vergißt, nur an ihre Vorhänge denkt und fröhlich bleibt. Die Fliegen summen am Fenster, und Mamas Stimme zittert beim Singen immer auf und nieder. Über Metas Rücken läuft ein Schauer hin. Sie möchte weinen oder lachen, aber sie will ja ganz still sitzen, damit Mama nicht aufhört. Jetzt tut der Gesang schon ein wenig weh, und Meta merkt gar nicht, daß sie zu winseln anfängt wie ein kleiner Hund. Mama verstummt und wendet erstaunt den Kopf, und da springt Meta auf und stürzt sich in die blaue Schürze. Plötzlich versteht sie alles. Die Wasserros', das ist Mama, und in ihrer blauen Schürze ist Frieden. Frieden ist das Wunderbarste, was es auf der Welt gibt. Mama streichelt Metas Kopf und lacht ein bißchen, ehe sie das Kind wegschiebt und aufsteht. »So«, sagt sie befriedigt, »und jetzt hängen wir die Vorhänge auf.« Meta ist froh, daß etwas geschieht. Noch mehr Gesang könnte sie wirklich nicht aushalten. Sie kann befreit lachen, und die Luft hat aufgehört Wellen zu schlagen. Mama breitet die Vorhänge aus, die sie selber bestickt hat: hellblaue Schlüsselblumen mit gelben Staubgefäßen. Gemeinsam tragen sie die Vorhänge ins Schlafzimmer. Mama steigt auf einen Sessel und befestigt sie. Ihre Freude färbt auf Meta ab. So ist es: wenn man ganz allein etwas Schönes gemacht hat, ist man zufrieden und stolz. Die Schlüsselblumen leuchten blauer als der Himmel, und die Staubgefäße lassen Meta an die gelben Butterwecken in der Speisekammer denken. Einen schöneren Vorhang hat es nie gegeben. Meta äußert begeistert diese Meinung, und Mama lacht geschmeichelt dazu. Die Vorhänge bauschen sich leicht im Frühlingswind, weiß, blau und gelb, und Meta bekommt Herzklopfen vor Freude.

Immer soll Mama so stehen bleiben, nichts darf sich ändern. Meta ist noch sehr klein, aber schon jetzt weiß sie, nichts bleibt, wie es ist. Mama wird in die Küche gehen und keine Zeit für sie haben, und die Seligkeit wird aufhören. Schon jetzt ist diese Seligkeit getrübt von Angst und Wissen. Beinahe ist Meta froh, als Mama den letzten Vorhang befestigt hat und vom Sessel steigt. Wenigstens muß sie nicht länger warten auf das Ende der Seligkeit.

Auf der Schwelle dreht sie sich noch einmal um. Die Vorhänge fallen gerade, der Wind ist erstorben, und das Licht fällt gedämpft auf den honiggelben Fußboden. Eine große Stille und Freude erfüllt den Raum. Gefaßt zieht Meta die Tür hinter sich zu und klettert an Mamas Hand die Stiege hinunter. Die große Stille und Freude ist im Schlafzimmer eingeschlossen. Ein Strahl davon sickert noch durch das Schlüsselloch und macht die Stiege ein bißchen freundlicher.

Meta sitzt wieder vor ihrem Scheiterhaus und unterhält sich lautlos mit Bergerl, der von seinem Lager gekrochen ist und dringend einen Garten und Vorhänge für sein Schlafzimmer verlangt. Meta baut ihm einen großen Garten mit Bäumen und Kieswegen und hängt kleine Vorhänge aus Stoffresten vor die Fenster. Im Holzhaus ist es still und dämmrig, und Bergerl beschließt, noch nicht in den Garten zu gehen. Er legt sich wieder auf sein Bett und bewundert die prächtigen Vorhänge.

In der Küche klappert Mama mit dem Geschirr. Jetzt fängt sie gar zu pfeifen an. Meta hat das gar nicht gern. Es tut ihr in den Ohren weh. Leise schleicht sie zur Tür und drückt sie zu. Aber Mama entgeht nichts. Sie möchte wissen, was das bedeuten soll. Was hat Meta hinter geschlossenen Türen vor? Sicher etwas Böses. Meta ist bestürzt. Sie kann nicht sagen, mir tun die Ohren weh von deinem Pfeifen. Das würde Mama bestimmt kränken. So steht sie starr und schaut auf ihre Füße nieder. Mama ist enttäuscht. Was soll diese Verstocktheit? »Mach den Mund auf«, sagt sie, »du kannst doch reden. Warum hast du die Tür zugemacht?« Meta schweigt. Ihr Kopf ist ganz leer. »Na, ist schon gut«, sagt Mama heftig, »dann bleibt die Tür eben zu. Ich mag kein so trotziges Kind sehen.« Bums, schlägt die Tür zu, und Meta hockt trostlos neben ihrem Holzhaus. Bergerl wird aus dem Bett gerissen und wegen seiner Verstocktheit aus dem Haus verbannt. Er verkriecht sich traurig unter die Eckbank.

In düsterem Schweigen verrinnt die Zeit. Dort oben, über Metas Kopf, liegt das Schlafzimmer, und in ihm wartet die große Stille und Freude. Aber das ist alles sehr weit weg. Meta hat etwas falsch gemacht und Mama gekränkt. Nie wieder wird es sein wie heute nachmittag. Schwarz und undurchdringlich wächst der Kummer rund um sie herum. Jetzt reicht er ihr bis zum Hals, jetzt bis zur Stirn, und jetzt schlägt er mit einem bösen Schmatzen über ihr zusammen.

Im Roßstall ist es immer dämmrig. Auch wenn die Sonne scheint, wirft sie nur ein gelbes Band durch das kleine Fenster. Hier ist immer frische Streu aufgeschüttet, und in der Krippe hängt ein bißchen Heu. Der Stall steht ganz leer; nur selten kommt der Forstmeister und stellt seine Pferde ein. Die ganze Zeit über kann Meta hier ungestört spielen. Sie sitzt in der Streu und verwandelt Steine, Fichtenzapfen und Schneckenhäuser in Kühe, Hunde und Katzen, gibt ihnen Namen und baut Häuser für sie. Und alle sind sie ihre Kinder und müssen ihr gehorchen. Der Roßstall ist ein guter friedlicher Ort, der Meta immer ein bißchen schläfrig werden läßt. Ja, manchmal sinkt sie wirklich in die Streu zurück, und die Augen fallen ihr zu. Wenn Meta hier sitzt und spielt, gibt es sonst gar nichts auf der Welt. Wenn sie plötzlich an das Haus denken muß, springt sie auf und rennt hinaus, um nachzusehen, ob wirklich noch alles da ist und auf seinem Platz steht. Nachher kann sie beruhigt weiterspielen.

Zwei Dinge sind seltsam am Roßstall, seltsam, aber

nicht zum Fürchten. Irgend etwas ist in der Wand, das manchmal knistert und raschelt. Meta hat längst erforscht, daß zwischen Außen- und Innenwand hohle Räume sind. Alles mögliche kann sich da eingenistet haben zwischen diesen Holzwänden. Wenn es im Haus einmal raschelt, sagen die Großen, das wird eine Maus sein. Aber hier ist es keine Maus, es klingt ganz anders, zarter und regelmäßiger. Etwas ganz Kleines ist da drinnen in der alten höhlenreichen Holzwelt, trippelt durch enge Gänge, streift an die Balken; winzige Füßchen tappen und rascheln. Meta mag das Ding in der Wand. Wenn es verstummt, wird sie unruhig und macht sich Sorgen um das Winzige. Aber wer weiß, wahrscheinlich ist es nur eingeschlafen. Das ist eines der beiden sonderbaren Dinge, das andere ist der Schimmel, der manchmal durchs Fenster hereinschaut. Er ist nicht weiß, sondern gelblich, und er muß sehr alt sein. Seine Mähne steht gesträubt und regungslos um seinen Kopf, und seine Augen haben gar keine Farbe. Er sagt nichts und tut nichts, er schaut nur durchs Fenster. Manchmal bleibt er nur kurz, manchmal längere Zeit, und Meta, in ihr Spiel vertieft, vergißt ihn wieder. Vielleicht sieht er sie gar nicht richtig, denn der Schimmel kommt nicht zu ihr. Er schaut immer auf die Wand hinter Meta. Niemals geht sie hinaus, um ihn näher zu betrachten. Sie weiß, er mag das nicht. Vielleicht würde er dann nicht wiederkommen, und sie hat sich an ihn gewöhnt. Einmal hat sie die Hand gehoben und ihm zugewinkt, aber er hat keine Miene verzogen, und kein Haar seiner gelblichen Mähne hat sich bewegt. Meta baut auch für ihn Häuser und kleine Krippen und läßt ihn mitspielen. Er bekommt aber keinen Namen, er ist nur der Schimmel. Niemals erzählt sie den Großen von ihm; es ist überhaupt besser, möglichst wenig zu erzählen. Manche Dinge sind gleich tot, wenn man von ihnen redet.

Eines Tages fällt Metas Blick auf die Balkenwand und sieht etwas Weißes aufglänzen im gelben Sonnenband. Mit Hilfe eines Stöckchens gräbt sie es aus einem Hohlraum hinter dem alten Holz. Es sind kleine weiße Porzellanstückchen. Ein Schatz, Meta hat einen Schatz gefunden. Sie putzt die Scherben mit ihrer Schürze ab und drückt das Gesicht gegen die kühle Glätte. Das ist viel glatter als die Kieselsteine, mit denen sie immer spielt. An den Bruchstellen ist es rauh, wie die Stücke, die Mama vom Zuckerhut schlägt. Sie schleckt daran, aber es schmeckt nach gar nichts. Tagelang schwelgt Meta in Entzücken und bleibt stundenlang im Roßstall. Niemals nimmt sie die Scherben mit ins Haus, und wenn Mama nach ihr schaut, versteckt sie ihren Schatz unter der Streu. Sie mag überhaupt nicht, daß ein Großer den Roßstall betritt. Es verwirrt Meta, sie hier zu sehen, und alles kommt durcheinander.

Der Roßstall gehört nur ihr, dem winzigen Raschler in der Wand, dem Schimmel und dem weißen Schatz.

Manchmal erwacht Meta ganz voll dranghafter Zärtlichkeit. Ihre Hände brennen danach, etwas festzuhalten, zu streicheln und zu drücken. An solchen Tagen geht sie gleich nach dem Frühstück ihre Freunde besuchen. Zuerst den schiefen Birnbaum, auf den man ganz leicht bis zu den untersten Ästen klettern kann. Nur ihr zuliebe ist der Birnbaum schief gewachsen. Er hat drei kleine Knorpel auf seinem Stamm gebildet, gerade groß genug, um darauf zu sitzen. Rund um den Baum wächst ein Hollerbusch, der einen strengen Geruch ausströmt. Meta unterhält sich stumm mit dem Birnbaum, streichelt seine borkige Rinde und drückt den Mund gegen seine glatten jungen Blätter. Manchmal zerbeißt sie ein Blatt und verschluckt es. Dann muß sie den Baum um Verzeihung bitten, denn sicher mag er nicht, daß sie seine Blätter zerbeißt.

Dies ist Metas großer Kummer: Sie weiß nicht, was sie mit den Dingen, die sie gern hat, tun soll. Ein wilder Drang befiehlt ihr, sie zu zerbeißen und zu verschlucken, aber sie weiß, nachher wird sie traurig sein darüber. Die Dinge können gar nicht viel Liebe aushalten. Was darf man denn schon tun, ohne etwas kaputtzumachen? Blumen und Blätter sind nur schön, solange man sie in Ruhe läßt, und die gelben Kücken darf man überhaupt kaum anrühren. Mama sagt, sie sind gleich tot, und das ist die Wahrheit; Meta hat ein Kükken totgemacht, wie sie noch ganz klein gewesen ist. Sie will nicht, daß die Kücken tot sind und nicht mehr herumlaufen können, und sie will auch nicht, daß die Blumen welk und schlaff werden.

Wenn sie sich an einem Holzstück kratzt, kommt ein bißchen Blut aus ihrer Haut. Sie schleckt es ab, und es schmeckt sehr sonderbar. Natürlich haben die Blumen grünliches Blut, manche auch weißes. Grünes Blut schmeckt gut, weißes ist bitter. Mama mag nicht, daß Meta alles abschleckt oder schluckt. Es gibt auch giftige Pflanzen. Meta bemüht sich, es nicht zu tun. Sie will nicht Bauchweh bekommen und tot sein wie das Kücken. Aber sehr oft kann sie der Versuchung nicht widerstehen. Sie weiß genau, wie alles schmeckt. Besonders gut sind junge Fichtennadeln, Baumharz und der süße Saft, den sie aus den Blüten saugt.

Im Frühsommer entbrennt sie in wilder Liebe zu

den Pfingstrosen und zittert vor Begierde, die roten Blätter zusammenzudrücken und zu zerbeißen. Aber sie tut es selten, es tut der Rose weh. So legt sie nur die Wange an die Blätter, und ihr Herz pocht vor Verlangen und Entzücken. Auch die Ameisen sind verliebt in die Pfingstrosen und laufen den ganzen Tag stengelauf, stengelab. Aber nicht einmal sie können Meta von den blutroten Bällen vertreiben, lieber läßt sie sich beißen. Mit den Fingern zieht sie ganz vorsichtig die dunklen Adern auf den Blütenblättern nach. Sie ist dabei, Beherrschung zu lernen. Einige Freunde sind so verletzlich, daß man sie nur ganz zart gern haben darf. Den Birnbaum und die Steine darf sie drücken, soviel sie will, und sie tut es auch, aber sie träumt Tag und Nacht davon, einmal in das Rosenherz zu fassen, ganz fest, bis ihre Hand feucht wird vom Saft der zerquetschten Blätter. Der Gedanke ist schön und schauerlich. So kommt es, daß sie um diese Zeit ganz närrisch wird und nicht weiß, was sie dagegen tun soll. Die jungen Katzen darf sie auch nicht drücken; ihre Finger biegen sich beim Streicheln weit zurück vor schmerzhafter Anstrengung. Und es ist natürlich nicht daran zu denken, die Katzen zu beißen.

So geschieht es immer wieder, daß sie, in höchster Not, Mama überfällt, sie in die Wange beißt und sie würgt. »Du hast einen mörderischen Griff«, stöhnt Mama, »so ein kleines zartes Mädchen. Es ist unglaublich. Wenn du mich noch einmal beißt, wirst du etwas erleben, verstanden?« Meta starrt ihre Hände an. Ein bißchen Sand haftet darauf und ein bißchen Grasgrün. Plötzlich sind sie zwei fremde böse Tiere, die sich zukkend hin und her bewegen, immer auf der Suche nach einem Ding, das sie zerdrücken könnten. Meta fürchtet sich. Sie versteckt ihre Hände auf dem Rücken und versucht, nicht an sie zu denken.

Ein großes Sausen hebt an, und die Gräser strecken ihre Spitzen starr in die Luft. In der gläsernen grünen Hölle denkt Meta nicht daran, ins Haus zu laufen. Sie wird es ja doch nie erreichen. Sehr weit weg ist das Haus, niemand kann ihr helfen. Dann hört das Brausen in der Luft auf, und durch die enge Lidspalte sieht Meta die Gräser befreit hin und her schwanken. Etwas Böses war da und ist wieder weggegangen. Sicher war ein Zauberer in der Nähe. Meta vergißt es, nur ein wenig Müdigkeit und Verdrossenheit bleiben zurück. Sie geht langsam durchs Gras, läßt die Füße streifen, stolpert über einen Maulwurfshügel und sieht mit frohem Schrecken, daß ihr Kittel ganz schmutzig ist. So bohrt sie auch noch die Knie in die Erde, damit auch die Strümpfe schmutzig werden. Dann läuft sie in die Küche und zeigt sich Mama. Es kommt alles wie gewünscht. Mama wird zornig, reißt ihr den Kittel und die Strümpfe herunter und bestraft sie. Die Schläge tun gar nicht weh. Meta frohlockt insgeheim. Mama muß sich nun doch um sie kümmern, sie waschen und frisch anziehen, und schließlich muß sie aufhören, böse zu sein. Eigentlich tut es Meta schon wieder leid, daß sie sich in der Erde gewälzt hat. Aber wie könnte sie das sagen. Es ist alles ganz hoffnungslos verworren. Sie weiß ja gar nicht mehr, warum sie es getan hat. So senkt sie den Kopf und macht eine dicke Unterlippe. »Aha«, sagt Mama, »jetzt willst du auch noch trotzen.« Meta will gar nicht trotzen. Sie fühlt sich ungerecht behandelt und wird nun wirklich wütend. Mit beiden Händen stößt sie Mama von sich und rennt aus dem Haus.

Hinter dem Roßstall liegt der Stein. Er ist sehr groß. Meta reicht nur bis zu seiner Mitte. Er ist alt und rund, und keiner weiß, woher er gekommen ist. Vielleicht ist er einmal vom Waldrand heruntergerollt. Kein Mensch kümmert sich um ihn. Wenn das Heu vom Wagen auf den Heuboden gereicht wird, ist er manchmal im Weg, und ein jähzorniger Holzknecht tritt nach ihm und verstaucht sich die Zehe. Der Stein scheint es nicht zu spüren, aber Meta freut sich darüber. Jeder soll sich die Zehe verstauchen, der ihren Stein zu treten wagt.

Meta besucht ihn fast jeden Tag. Sie streichelt ihn und legt die Wange an sein graues Gesicht. Ihre Schürze zerrt an ihr und hängt auf einer Seite fast bis zum Boden, weil die Tasche vollgestopft ist mit Steinchen, Schneckenhäusern, Fichtenzapfen und Hobelscharten, wichtigen Dingen, die sie nicht aus den Augen lassen will. Manchmal löst sie ein Stück Moos vom Stein und untersucht, was es da zu sehen gibt. Es sieht aus, als löse das Moos den Stein langsam auf, zumindest seine Haut, denn unter dem Moos ist er nicht glatt, sondern bröslig und locker. Winzige längliche Dinge liegen unter dem Moos, die wie hohle Körner aussehen, leere Panzer von Käfern, Ameiseneier und Tausendfüßler. Vor den Tausendfüßlern hat Meta Angst, weil sie sich auf schreckliche Weise krümmen und Buckel machen oder, auf dem Rücken liegend, mit dünnen Beinen zappeln. Meta dreht sie mit einem Grashalm um, weil sie das Gezappel nicht sehen kann. Lauter Ungeheuer und Drachen, die eine böse Fee kleingezaubert hat. Daneben liegen winzige leere Schneckenhäuser, die sofort zerbrechen, wenn man sie anfaßt. Vielleicht haben die Tausendfüßler ihre zarten Bewohner aufgefressen. Mit klopfendem Herzen und angehaltenem Atem starrt

Meta auf die fremde kleine Welt und legt vorsichtig das Moosstückchen wieder darauf. So, jetzt ist es besser.

Wenn es geregnet hat, blüht das Moos in ganz kleinen Sternblüten. Meta hat sie schon gekostet, sie sind so klein, daß sie nach gar nichts schmecken. Wenn das Moos blüht, ist der alte Stein sehr schön, aber Meta vergißt nie, daß unter den weißen Polstern die verzauberten Ungeheuer hausen. Sie versucht, nicht daran zu denken, aber es gelingt ihr nicht. Dabei hat sie ein schlechtes Gewissen und weiß nicht, warum. Sie kann noch so viele Tausendfüßler umdrehen, das schlechte Gewissen bleibt. Sicher kommt es daher, daß sie die Ungeheuer nicht gern haben kann.

Niemals erklettert Meta den Stein. Kein anderer Stein ist vor ihren Füßen sicher, aber diesen einen darf sie nicht betreten, er ist ein lebendiger Stein. Vielleicht leben die anderen Steine auch, aber dieser ist ein alter großer Freund, und es gehört sich nicht, auf einem Freund herumzutrampeln. Sie möchte ihn um keinen Preis verstimmen. So tut sie alles, um ihm Freude zu machen. In heißen Zeiten holt sie Wasser vom Brunnen und rettet sein Moos vor dem Verdorren. Sie streichelt ihn und putzt ihn, wenn ihn ein Vogel beschmutzt hat. Der Stein fühlt sich immer warm an, und wenn sie das Ohr an ihn legt, hört sie ganz zartes Knistern. Dann redet er und ist wohlig und zufrieden. Sie glaubt auch nicht, daß er sich nicht bewegen kann. Wenn man ihn genau betrachtet, sieht man, daß er jeden Tag ein bißchen anders dasteht. Und wer weiß, was er tut, wenn die Menschen schlafen. Sie traut ihm alles zu. Er ist von allen Freunden der beste, und er ist gar nicht zimperlich. Meta kann ihn so fest drücken, wie sie will, er macht sich dann ganz hart, und heimlich, tief in seinem grauen Leib, lacht er dazu.

Zwei Holzknechte lehnen an der Streuhütte und prüfen mit den Daumen ihre frisch gedengelten Sensen. Die Sonne zieht blaue Blitze aus dem Metall. Die Männer sind alt und sehen sehr vornehm aus, wie die Könige in den Märchen. Sie sind lang und hager und bewegen sich lässig. Auch ihre ausgewaschenen Leinenhosen sind schön und vornehm. Meta starrt die beiden ganz hingerissen an. Endlich beugt sich der eine tief zu ihr herab und sagt: »Im August bringen wir dir Himbeeren.« Gleich darauf sind sie verschwunden. Echte Holzknechte sind das bestimmt nicht gewesen. Meta weiß schon jetzt, daß sie nie wiederkommen und auch keine Himbeeren bringen werden. Sie ist ein bißchen traurig darüber, aber einen Augenblick später entdeckt sie den Stein unter der Dachtraufe und gerät in neues Entzükken. Vom ewigen Wassergeriesel ist er ausgehöhlt wie eine Schale, und sein weißgrauer Leib ist mit rosaroten Adern durchzogen. Rund um ihn wuchern blaublühende Taubnesseln, gebeugt von der summenden pelzigen Hummelschar.

Die alte Mühle am Bach. Den Kopf an Vaters Beine gelehnt, steht Meta in der grünen Dämmerung, weit fort von Sonnenschein und Vogelliedern. Der Mann mit der weißen Schürze ist der Müller. Sein Gesicht ist flach und weißlich vom Mehlstaub. Aber vielleicht ist es gar kein Mehlstaub. Er redet mit leiser Stimme und hüstelt dazwischen. Meta fürchtet sich vor der Mühle und der Kälte, die vom Bach heraufkriecht. Der Müller sieht aus, als wäre er schon lange gestorben. Der einzige Trost in dieser kalten Wasserwelt ist Vaters warme Hand. Sie fühlt sich an wie Holz, wie sonnengetränktes Holz. Solange sie diese Hand nicht losläßt, kann der Müller sie nicht verzaubern und ihr nichts Böses tun. Sie muß sich bemühen, freundlich an den Müller zu denken. Aber wird er sich täuschen lassen? Liest er nicht unter den falschen freundlichen Gedanken, daß sie alles über ihn weiß? Jetzt tut er etwas Schreckliches mit seinem Mund. Sie mag gar nicht hinschauen, bestimmt hat er grüne Zähne. Dann streckt er die mehlige Hand aus und legt sie auf Metas Kopf. Kälte sickert in ihr Haar und rieselt den Rücken entlang. Krampfhaft umklammert sie Vaters Hand. Der lacht und redet, als merkte er gar nichts. Aber Vater ist schlau; er wiegt den Müller in Sicherheit, bestimmt hat er gleich durchschaut, mit wem er es zu tun hat.

Mindestens ein Jahr dauert es, ehe sie loskommen und wieder auf der Straße stehen und die Sonne die Kälte von Metas Kopf wischt. Meta möchte schreien vor Freude, sie leben, sie leben, der tote Müller hat sie nicht verzaubern können, weil Vater so gescheit ist und weil seine Hände so warm sind.

Es kommt eine Zeit, die heißt Herbst. Das bedeutet für Meta, daß sie immerzu dicke Wolljacken anziehen soll und lange Strümpfe; Dinge, die sie verabscheut. Sie muß in der Stube spielen und ist grantig und weinerlich. So nimmt Mama sie mit, wenn sie einen Besuch zu machen hat. Meta zeigt keine Scheu vor den fremden Menschen. Sie bleibt nicht brav auf Mamas Schoß sitzen, sondern rennt durch alle Zimmer, zieht die Schubladen auf und sucht überall nach Schätzen. Mama ärgert sich, aber die Gastgeber tun, als freuten sie sich darüber. Und warum sollten sie sich auch nicht freuen, Meta glaubt ihnen jedes Wort. Sie läßt sich von jedem an der Hand nehmen, und wer ihr eine Geschichte erzählt, hat sie schon für sich gewonnen. Sie teilt die Großen ein in solche, die Geschichten erzählen, und solche, die nur lästig sind. Die meisten sind nur lästig. Dabei sollten die Großen doch nur dazu auf der Welt sein, um sie, Meta, zu unterhalten. Die Geschichtenerzähler dürfen aussehen, wie sie wollen; sie müssen auch nicht gut riechen oder sich sonstwie hervortun. Es genügt, wenn sie erzählen können. Die Nichtgeschichtenerzähler müssen schon besondere Kunststücke zeigen, wenn sie Metas Wohlwollen erringen möchten. Einer von ihnen ist der Jagdpächter aus Amerika, der sich von ihr dirigieren läßt wie ein braves dickes Pferd. Jeden Morgen reitet sie auf seinen Schultern zu einem bestimmten Apfelbaum und holt dort ein Stück Schokolade aus einer Astgabel. Auch sonst ist er zu verwenden. »Leg dich hin!« schreit Meta, und er läßt sich auf den Bauch fallen. »Steh auf!«, und er krabbelt auf den Knien und rappelt sich schnaufend hoch. Er ist wirklich ganz lustig, und Meta findet es angenehm, einen so stattlichen Mann als Sklaven zu besitzen.

Und die alte Exzellenz aus Wien kommt doch sicher nur, um Meta Märchen zu erzählen. Die alte Exzellenz ist sonderbarerweise ein Mann und hat einen weißen Schnurrbart, und er oder sie riecht sehr vornehm. Manche Gäste bringen Süßigkeiten, sie sind nicht so geschätzt wie die Geschichtenerzähler.

Mama rennt immerzu hinter Meta her und will sie zu sich in die Küche holen, weg von der lustigen Männerwelt, von den tiefen Stimmen, dem Tabakrauch und weg von den zauberhaften unverständlichen Geschichten und dem dröhnenden Gelächter. Wenn die Gäste abgereist sind, bleibt eine verzogene, ungehorsame Meta zurück, die nicht begreifen kann, warum das lustige Leben ein Ende hat.

Aber es dauert nicht sehr lange, und schon kommt der alte Förster Scherleithner, der Vater beim Holzmessen helfen soll. Ihn hat Meta gern, obgleich er kein Erzähler ist. Er ist ja schon alt und möchte selber immerzu Geschichten von Meta hören. Auf seinen Knien sitzend, erzählt sie ihm alle Märchen, die sie längst auswendig kann, und der Alte wird ganz wunderlich und läßt sich den langen Bart zu Zöpfchen flechten. Mama will dagegen einschreiten, aber der alte Mann behauptet, es mache ihm Spaß, und so muß sie wieder in die Küche abziehen.

Eines Tages ist ihr Freund fort, und Meta wendet sich wieder ihren einsamen Spielen zu. Dann kommt die Hausschneiderin und soll eine Woche bleiben. Wenn Mama dabei ist, verhält die Schneiderin sich still und unterwürfig. Sie weiß, was sich gehört. Bleibt sie aber mit Meta allein, kann sie dem »Erzähl mir was«-Gebettel nicht widerstehen. Sie ist eine arme Haut, hat Mama behauptet. So schaut also eine arme Haut aus: mager, gelblich, schütteres Haar. Etwas, was Meta nicht anfassen möchte. Ihr Leben ist ein einziges langgezogenes Unglück. Mit gedämpfter Stimme erzählt sie ihre jämmerliche Geschichte. Der Mann ist ein Säufer. Was ist ein Säufer, will Meta wissen. Ein Mensch, der jeden Tag Schnaps trinkt und sich auf der Erde wälzt. Meta denkt nach. Sie muß das erst verdauen. »Wirklich, auf der Erde?« erkundigt sie sich. Die Schneiderin nickt heftig, und dann zischt sie aus schräggestelltem Vogelkopf: »Und er hat es mit den Weibern gehabt.

Aber das verstehst du, Gott sei Dank, noch nicht.« Meta brütet ein bißchen darüber und möchte gerne mehr erfahren. »Es gibt Weiber«, sagt die Schneiderin, Schreckliches andeutend, »die die dummen Männer zu Schlechtigkeiten verführen.« Um keinen Preis will sie mit einer genauen Beschreibung der Schlechtigkeiten herausrücken. Was ist sehr schlecht? Lügen und Stehlen? Sicher haben die bösen Weiber den Säufer dazu gebracht. Meta schlägt der Schneiderin diese beiden Verbrechen vor und hört ein hastiges »ja, ja«. Das war es also nicht. Meta weiß genau, daß die Frau jetzt gelogen hat. Aber die, im Bestreben, das Kind abzulenken, fährt fort: »Und er hat mich mit einem Holzscheit blutig geschlagen, da«, und deutet auf die magere Schläfe. »Seither hab' ich Tag und Nacht Kopfweh.« Sie winselt ein bißchen und beugt sich tief über die Näherei. Meta friert vor Entsetzen und Entzücken. Man denke, blutig geschlagen mit einem Scheit! Was wird sie noch alles zu hören bekommen. Aber da tritt Mama ins Zimmer, und die Schneiderin versinkt in demütiges Schweigen. Meta beschließt, Mama nichts von diesen Geschichten zu erzählen. Sie würden ihr bestimmt nicht gefallen. In den folgenden Tagen vernimmt sie immer neue Schrecken aus dem Eheleben der unglücklichen Frau, und ein wildes Grausen kommt über sie. Was diese gelbhäutige Person erzählt, stammt aus dem Märchenbuch. Menschenfresser, Riesen, Zauberer und Hexen, und mitten unter ihnen die Schneiderin und der blutrünstige Säufer. Fast ist sie froh, als alles geflickt und genäht ist und die Schneiderin das Haus verläßt und zurückkehrt in ihre böse Märchenwelt. Meta soll ihr die Hand geben, aber sie rennt davon und versteckt sich. Später wird sie wegen ihrer

Ungezogenheit gescholten. Aber um keinen Preis hätte sie diese gelbe Wachshand anfassen können.

Die Schneiderin hat zu den Leuten gehört, die einmal kommen und nicht wieder. Ganz anders ist das bei der Waschfrau, der Moser. Sie wohnt irgendwo in der Nähe und erscheint in regelmäßigen Abständen im Haus, um gemeinsam mit Berti den riesigen Wäscheberg zu waschen. Die Moser tut süß mit Meta und ist bemerkenswert, weil sie immer zu lächeln versucht, aber nie etwas anderes als ein schiefes Grinsen fertigbringt. Meta spürt, daß irgendwas an ihrer Freundlichkeit nicht in Ordnung ist, aber was tut das, wenn sie bereit ist, Geschichten zu erzählen. Und nicht nur, weil Meta darum bettelt, nein, die Moser brennt selber danach, ihre Geschichten loszuwerden. Meta schleppt ihren Schemel herbei und reicht mit der Nase gerade über den Rand des Waschtroges. Eingehüllt in angenehmen Seifenlaugendunst lauscht sie dem Singsang der Wäscherin.

»Ich bin ein so schönes Mädchen gewesen, so schön, daß alle Leute mich die schöne Rosl genannt haben.« Prüfend betrachtet Meta das rote viereckige Gesicht. Vielleicht ist die Moser eine verzauberte Fee. So etwas ist ja schon oft vorgekommen. Eine breite blonde Haarkrone hat die schöne Rosl getragen, und alle Burschen haben nur mit ihr getanzt. »Und warum hast du dann den Moser geheiratet?« erkundigt Meta sich ohne Arg. Die Moser verzieht die Lippen auf ihre fürchterliche Weise und murmelt: »Da war die Hilda schon auf der Welt.« Unbegreiflich sind die Großen. Die Hilda ist ihre Tochter, und Meta findet, sie ist kein Grund, um den Moser zu heiraten, der immer ein schwarzes Tuch um die Backen gebunden hat. Wer will schon einen

Mann, der immerzu Zahnweh hat. Aber die Moser will sich darüber nicht weiter auslassen, sie klappt den Mund zu einem dünnen harten Strich zusammen und bearbeitet wütend ein Hemd auf der Waschrumpel. Sei es der Gedanke an den Moser oder an die Hilda, irgend etwas hat sie verstimmt. Meta tut, was sie kann, um sie zu einem neuen Gespräch zu verlocken, und plötzlich verwandelt sich der dünne Strich in einen grinsenden Mund, und die Moser gleitet zurück in die Zeiten der schönen Rosl. Meta muß zugeben, es ist unglaublich, was die Burschen ihr alles geschenkt haben wegen ihrer sagenhaften Schönheit: Fransentücher, Schürzen, nicht so gewöhnliche, nein, reinseidene, einen Mariazeller Taler und blaue Ohrringe.

»Und was hat dir der Moser geschenkt?« forscht Meta ganz in Gedanken. Und, schnapp, der Mund wird wieder zu einem Strich, und die Moser schweigt wie abgeschnitten.

Diese Großen sind rätselhaft. Nie weiß man, was sie im nächsten Augenblick tun werden. Meta gleitet beleidigt vom Schemel und sucht Schlankl, den Hund. Sie mag ihn ohnedies viel lieber als die meisten Großen, er ist immer guter Laune. Wenn er auch noch Geschichten erzählen könnte, wäre er der vollkommene Freund. Es macht Meta immer traurig und verzagt, daß er nicht reden kann. So sitzt sie neben ihm auf der Erde und streichelt das rotbraune Fell, das sich warm in ihre Hand schmiegt. Auf dem Grund seiner großen braunen Augen tanzen kleine rote Feuer. Wie kommt dieses Feuerchen in Schlankls Augen? Sie starrt darauf, bis der Hund unruhig wird und den Kopf abwendet. Es ist angenehm, Schlankl gern zu haben, aber es ist nicht genug. Ein Hauch von Unvollkommenheit liegt über Dingen und Tieren, und gerade das macht sie so begehrenswert. Meta muß den armen Stummen Geschichten erzählen, damit sie auf ihr Gebrechen vergessen können.

Meta erwacht, und es ist ganz finster um sie herum. Wo sind Mama und Vater? Sie setzt sich auf in ihrem Gitterbett und lauscht. Es ist kalt, und sie ist ganz allein auf der Welt.

Nein, da ist noch etwas, ein riesiges schwarzes Ding, der eiserne Ritter aus dem Märchenbuch. Meta schlägt die Hände vor die Augen und schreit. Plötzlich ist es licht im Zimmer, Mama steht vor dem Bett und sagt etwas, was Meta vor Angst gar nicht verstehen kann. »Dort«, stammelt sie, »der eiserne Mann.« Mama hebt sie aus dem Bett, und Meta sieht, daß der schwarze Ritter sich in den Kachelofen verwandelt hat und grün und heuchlerisch an der Wand steht. »Aber das ist doch nur der Ofen, den kennst du doch genau.« Meta versucht nachzudenken. Es stimmt, der Ofen steht immer da. Mama trägt sie zu ihm hin und legt ihre widerstrebende Hand auf die lauwarme Wölbung. Schon will Meta ihr glauben, da sieht sie zwischen den Kacheln den bösen schwarzen Glanz. Er ist also immer noch da und hat sich nur im Ofen versteckt. Es ist besser, nicht darüber zu reden, er kann ja jedes Wort hören. Sie darf zu Mama ins Bett kommen. Das Licht wird abgedreht, und Vater wälzt sich seufzend zur Seite. Gleich darauf sind Mama und Vater wieder eingeschlafen und lassen Meta allein. Aber jetzt ist sie ja in Sicherheit. Sie kneift die Augen zu und versucht auch zu schlafen. Es geht nicht. Und dann fällt ihr etwas Schreckliches ein. Zwischen den Betten ist ja ein Spalt, und längst liegt der schwarze Mann darunter und schiebt seine eiserne Hand herauf. Meta rutscht ganz nahe an Mama heran, wird zurückgeschoben und versucht verzweifelt, den Angriffen von unten auszuweichen. Jetzt kratzt er schon an der Matratze mit seinen Metallfingern. Sie wagt nicht zu schreien. So trostreich Vater bei Tag ist, er wird ärgerlich, wenn man ihn aufweckt.

Die Zeit bleibt stehen. Meta ist erstarrt vor Angst und kann keinen Finger rühren. Und neben ihr atmen die beiden Ahnungslosen, die sie nicht einmal warnen kann. Die Nacht ist schwarz und böse und ihr ärgster Feind.

Am folgenden Abend will sie nicht schlafen gehen und wird mit Gewalt ins Bett gesteckt. Drei schreckliche Nächte folgen, in denen Meta schreien muß, auch wenn sie sich in die Hände beißt. Dreimal wird sie von Mama ins Bett genommen. In der vierten Nacht bleibt Mama hart. Es geht einfach nicht, daß Meta jede Nacht so ein dummes Theater aufführt. Meta schreit nicht mehr. Es würde doch nichts helfen. Sie ist jetzt dem eisernen Mann ausgeliefert, er soll sie nur endlich holen. Sie legt die Hand auf die rauhe Wand und wartet. Leise, verstohlen, tappt das Ungeheuer vom Ofen her. Meta steckt den Daumen in den Mund und beißt ganz fest darauf. Und da geschieht ein Wunder, die Wand wird lebendig unter ihrer Hand. Das Haus fängt an zu flüstern, zu rieseln und zu knistern. Es hat lange genug zugeschaut; jetzt stellt es sich auf Metas Seite und drängt das schwarze Nachtgeschöpf zurück, zuerst schrittweise, dann immer schneller und schneller. Es ist ein wildes Ringen, aber das Haus ist groß und stark und sehr zornig. Endlich ist das Zimmer leer. Der Böse heult vor dem Fenster und fliegt mit dem Herbststurm davon. Wie gut und friedlich das Zimmer jetzt ist. Meta kann wieder leicht atmen. Sie preßt den Mund gegen die Wand und streichelt den tapferen neuen Freund. Es ist ein herrliches Gefühl, das Haus an ihrer Seite zu wissen. Als sie erwacht, ist ihre Hand ganz kalt und liegt noch immer an die Wand gepreßt.

Bald darauf verlangt Meta im großen Bett im Kabinett zu schlafen, und Mama scheint erfreut über diesen Entschluß. Das Kabinett ist eine warme kleine Höhle, und auch dort ist ja das Haus und gibt acht, daß kein Feind zum Fenster hereinschlüpft. Die Tür bleibt offen; Meta hört am Abend die Eltern im Schlafzimmer murmeln und schläft beruhigt ein.

Dann geschieht etwas sehr Merkwürdiges. Eines Morgens steht neben Mamas Bett ein Korb, in dem ein ganz kleines Kind liegt. Das ist Metas Bruder. Er hat einen dicken roten Kopf und schreit mit einer unangenehm hohen Stimme. Meta macht, daß sie aus dem Schlafzimmer kommt, und hat keine Zeit, sich über das neue Kind zu wundern, denn das Wetter ist schön geworden, und sie darf wieder im Roßstall spielen.

Mitten im Winter kommt die kleine schwarze Großmutter, um ihren neuen Enkel zu besichtigen. Er hat jetzt schon einen Namen und sieht viel hübscher aus als bei seiner Ankunft. Mama spielt die ganze Zeit mit ihm herum. Die Großmutter kümmert sich mehr um Meta. »Erzähl mir eine Geschichte«, bettelt Meta, und die Großmutter streicht ihr Kleid glatt und beginnt: Der Wolf und der Fuchs treffen einander im Wald. Der Wolf, der nicht viel in der Welt herumgekommen ist, denn er haust ja im tiefen, tiefen Wald, fragt den

Fuchs nach dem Menschen. Der Mensch ist gescheit, sagt der Fuchs, gescheiter als ich und du und gescheiter als irgendein Tier. Er geht aufrecht auf seinen Hinterbeinen, du mußt nicht lachen, man gewöhnt sich an diesen Anblick, und er hat keinen Pelz, sondern eine glatte weiße Haut. Zu gern, sagt der Wolf, möchte ich den Menschen sehen, kannst du das nicht einrichten, Vetter Fuchs? Dazu mußt du aus dem tiefen Wald herauskommen, meint der Fuchs, und dich hinter dem Hollerbusch am Kreuzweg verstecken. Ich werde dir sagen, wenn der Mensch kommt. Wirklich, die beiden legen sich hinter den Hollerbusch und warten. Es ist noch früh am Morgen, und lange Zeit kommt gar nichts des Weges. Endlich trippelt ein Kind vorbei. Es trägt eine Tasche auf dem Rücken und geht zur Schule. Ist das ein Mensch? fragt der Wolf. Nein, antwortet der Fuchs, das wird einmal ein Mensch. Warte nur ab. Gegen Mittag kommt ein altes Weiblein mit einem Bund Holz auf der Schulter. Es geht langsam und müde und schwankt unter seiner Last hin und her. Aber das ist ein Mensch, fragt der Wolf ganz aufgeregt. Geduld, Geduld, sagt der Fuchs, das war einmal ein Mensch. Noch viele Stunden liegen die beiden hinter dem Hollerbusch, und der Wolf zittert schon vor Ungeduld. Und als es dämmert, kommt endlich der Jäger des Weges gegangen. Er trägt einen grünen Hut auf dem Kopf, ein Gewehr über der Schulter und im Gürtel einen Hirschfänger. Das, flüstert der Fuchs, das ist ein Mensch, und er verdrückt sich tief ins Gebüsch. Der Wolf aber springt freudig auf und läuft dem Menschen entgegen, um ihn zu begrüßen. Da hebt der Jäger das Gewehr an die Wange, drückt ab, und piff, paff, puff fällt der Wolf tot auf den Weg. Der Jäger aber zieht ihm das schöne dichte Fell ab und geht fröhlich pfeifend nach Hause. So, schließt die Großmutter, das war meine Geschichte, und eine andere weiß ich nicht.

Meta sitzt auf dem Schemel und ist bestürzt. Etwas an der Geschichte ist nicht so, wie es sein sollte. Die ganze Zeit, während die Großmutter erzählt, hat sie sich schon ausgedacht, wie der Mensch den Wolf mit nach Hause nimmt und sein Nachtmahl mit ihm teilt, und jetzt so ein böses Ende. »Das ist aber keine schöne Geschichte«, sagt sie mit Entschiedenheit. Die Großmutter seufzt ein bißchen und meint: »Da kannst du schon recht haben, eine schöne Geschichte ist es wirklich nicht, aber eine wahre und noch dazu die einzige Geschichte, an die ich mich erinnern kann. Es muß also doch etwas an ihr sein.« – »Ich mag wahre Geschichten nicht«, behauptet Meta. »Ich auch nicht«, gibt die Großmutter zu. »Aber was soll man tun, so ist es eben.« Meta versucht die Geschichte zu ändern, aber es wird nichts Rechtes daraus. Der Wolf liegt tot und nackt auf dem Weg, und Meta kann ihn nicht mehr lebendig machen. Meta wird böse. »Ich mag den Jäger nicht«, schreit sie. Die Großmutter lächelt und schlingt die Finger ineinander. »Ich auch nicht, Meta. Aber er kümmert sich nicht darum, ob wir ihn mögen. Wir können nicht gegen ihn an.« So ist das also. Meta möchte die Großmutter streicheln und sie bitten, nicht traurig zu sein, aber die Großmutter möchte nicht gestreichelt werden. Sie ist überhaupt nicht ganz da. Beklommen sitzt Meta auf ihrem Schemel und spürt, wie die große Traurigkeit aus Großmutters Kleid sickert und das ganze Zimmer erfüllt. Es ist nicht auszuhalten. Meta rafft allen Mut zusammen und legt ihre Hand leicht und liebkosend auf die mageren alten Knie unter dem langen Kleid. Und die Großmutter kommt zurück und streicht leicht wie eine Feder über Metas Kopf. »Du bist ein liebes Kind«, sagt sie leise, dann steht sie auf und geht in die Küche. Meta bleibt in der Dämmerung sitzen und spürt, wie ihr das Blut ins Gesicht steigt. »Ein liebes Kind«, hat die Großmutter gesagt. Nur gut, daß es kein anderer Mensch gehört hat. Das wäre wirklich nicht auszuhalten.

Meta kommt aus der Holzhütte. Den ganzen Nachmittag hat sie Berti geholfen, das Holz aufzuschichten. Jetzt kriecht der Nebel vom Berg herunter, und sie fröstelt. Ihre Hände sind voll Pech und wund von den rissigen Scheitern.

In der Küche ist es wunderbar warm. Mama sitzt vor dem Herd und hält Nandi auf dem Schoß. Sie merkt gar nicht, daß Meta ins Zimmer gekommen ist. Sie sieht nur Nandi, der ihr sein lachendes kleines Gesicht entgegenhält. Meta holt sich ihren Schemel und setzt sich still in einen Winkel. Mamas Zopf hat sich unter Nandis runden Fingern gelöst und hängt wirr über ihre Schulter. Sie sieht weich, jung und glücklich aus. Und wie sie Nandi anschaut, wie ihre Augen leuchten, wenn er krähend vor Vergnügen nach ihrem Gesicht tappt. Meta weiß, es wäre besser für sie, in die Stube zu gehen zu ihrem Märchenbuch. Aber sie kann nicht aufstehen. Wie angeleimt sitzt sie auf dem Schemel und starrt auf die beiden. Etwas tut sehr weh, so weh, daß sie fast nicht atmen kann. Es ist ganz innen, fast wie Bauchweh, aber viel schlimmer. Sie kann die Augen nicht abwenden. Es ist, als sehe sie Mama und Nandi zum erstenmal richtig. Mamas Gesicht, das dunkle Haar, das Muster ihres Kleides, schwarze Blumen auf blauem Grund, die Küchenschürze mit dem verrutschten Träger und die braunen Pantoffel. Und Nandi, rundlich und klein, in einer hellblauen Strampelhose, aus der eine Windel hängt. Seine Nase, die dunkelblauen Augen und das glatte glänzende Haar. Wer ist Nandi überhaupt? Wie kommt er dazu, dort zu sitzen, wo einmal Metas Platz gewesen ist? Der Schmerz in ihrem Bauch will sich in Wut verwandeln. Davor hat Meta Angst. Plötzlich spürt sie weder Schmerz noch Wut. Sie ist nicht mehr Meta, sondern Mama. Sie sitzt vor dem Feuer und hält Nandi auf dem Schoß. Und sie riecht den Duft seiner Haut, warm, süß und ein bißchen nach Milch. Dann ist auch das vorbei, und sie sitzt wieder im Winkel auf dem Schemel. Aber jetzt weiß sie, was mit Mama geschieht. Sie kann ja gar nicht anders, sie muß Nandi gern haben, so gern, daß sie das andere Kind mit den hungrigen Augen gar nicht sehen kann. Die Welt ist klein, rund und gelb, und nichts gibt es in ihr als Mama und Nandi. Das Kind im Winkel gehört nicht in diese runde Welt. Es ist ausgesperrt. Es tut wieder sehr weh, aber wenn Meta jetzt an Mama denkt, muß sie Nandi mitdenken. Sie hat ihn mit Mamas Augen gesehen und weiß, daß man ihm nicht widerstehen kann. Endlich reißt sie sich los von der sanft erhellten gelben Kugel, in der Mama und Nandi sitzen, und drückt sich leise aus der Küche.

In der Stube holt sie ihr Märchenbuch vom Regal und schlägt es auf. Sie geht noch nicht in die Schule, aber sie kann schon lesen. Es hat sich ganz von selber ergeben. Vielleicht hat sie es schon immer gekonnt. Da ist das Märchen vom Machandelbaum, aber das mag sie heute nicht lesen, es hat etwas zu tun mit Mama und Nandi, und das ist ihr unheimlich. Ein anderes Märchen. Mit dem Finger fährt sie den Zeilen nach: »Heinrich, der Wagen bricht; nein, Herr, der Wagen nicht. War ein Band von meinem Herzen, das da lag mit großen Schmerzen.« Auch nicht, nichts von großen Schmerzen will sie heute hören. Fast alle Märchen sind traurig, und die paar lustigen gefallen Meta nicht. Endlich findet sie die richtige Geschichte. Das Märchen von der kleinen Meta, die sich in den Finger sticht und in den schwarzen Brunnen muß. Sie kniet auf der Bank, und ihr Finger gleitet von Wort zu Wort. Und plötzlich verwandelt sie sich in die Märchenmeta und schlüpft hinein ins Buch. Sie hört nicht mehr, wie der Wind an den Fenstern rüttelt. Ganz weit weg lacht jemand, und eine jubelnde Kinderstimme antwortet. Das sind Mama und Nandi in ihrer runden warmen Welt. Meta lebt in einer kühleren Welt, in einer Welt, die sie jeden Tag neu erschaffen muß. Aber sie hat ja keine andere Wahl.

Das Lusthaus ist ganz mit wildem Wein bewachsen. Selbst im Sommer, wenn die Sonnenglut das Gras vor dem Haus rot verbrannt hat, bleibt es im Lusthaus dämmrig und kühl. Es gibt da nichts als rohe Bänke, einen Tisch und Vaters altes Sofa. Früher einmal war das Sofa in der Kanzlei, aber Mama hat das riesige alte Ungetüm aus dem Haus schaffen lassen. Vater hat deshalb gegrollt und hat das Sofa im Lusthaus einquartiert. Er liebt alte Dinge und kämpft mit Mama einen langgezogenen Kampf um seine alten Mäntel, Hosen und Hüte und um eine fuchsrote Pelzmütze, die Mama am liebsten verbrennen möchte. Meta findet die Pelzmütze wunderschön, und sogar Mama muß zugeben, daß Vater damit ausschaut wie ein russischer Großfürst. Sie hätte ja nichts gegen eine neue Pelzmütze einzuwenden, nur das räudige fuchsrote Ding will sie nicht im Haus haben.

Fortan hält Vater also seinen Mittagsschlaf nicht mehr in der Kanzlei, sondern im Lusthaus auf dem grünbespannten Ungetüm. Das alte Sofa strömt einen geheimnisvollen bitteren Geruch aus, und tief in seinem Bauch, zwischen Roßhaar und Stahlfedern, hausen die Träume. Nicht irgendwelche Träume, Träume, die nur für Vater bestimmt sind. Meta weiß genau, nur aus diesem Grund schläft er auf dem Sofa. Mama spottet darüber, wie es Meta scheint, voll heimlicher Eifersucht. Nie wird sie wissen, was das für Träume sind, die aus dem Roßhaarbauch aufsteigen, Vater einhüllen und weit forttragen. Nicht einmal bei Regenwetter schläft Vater in der Kanzlei, erst wenn der erste Schnee fällt, zieht er sich beleidigt dorthin zurück. Wenn es kalt ist, schlüpft er nach dem Mittagessen in seinen alten Militärmantel, setzt den graugrün schillernden Hut auf, den Schlafhut, wie Meta ihn bei sich nennt, und verschwindet im Lusthaus. Dort schläft er hinter Gitter und wildem Weingerank, die Wange an einen kleinen roten Polster gepreßt, eine Hand schützend über Mund und Nase gelegt.

Meta steht auf Zehenspitzen hinter dem Lusthaus und beobachtet Vater. Sie sieht nur seine Augen, über die er die dünnen Lider gesenkt hat. Nicht ganz gesenkt; ein schmaler Spalt bleibt offen und schimmert wie Perlmutter. Unheimlich ist das. Sieht Vater das kleine Gesicht hinter den Weinranken? Stellt er sich nur schlafend? Sie wird es nie wissen. Die Neugierde brennt und schneidet und läßt Meta das harte Stahlgitter an der Wange gar nicht spüren. Geheimnisvolle

Brauenbogen; eine Braue steht höher, und das sieht spöttisch und erhaben aus. Wenn sie den Mund sehen könnte, der kann sich nicht verstellen, aber er liegt verborgen unter der schmalen braunen Hand. Vater will nicht, daß man die Träume von seinem Gesicht ablesen kann. Ganz lautlos schläft er, nur die Schulter unter dem Militärmantel hebt und senkt sich regelmäßig.

Plötzlich weiß Meta, wovon der Vater träumt. Er ist in Rußland, in jenem fernen sagenhaften Land, das jeden Mittag aus dem Bauch des Sofas aufsteigt. Ganz heimlich ist Vater dorthin zurückgekehrt und marschiert mit dem Regiment auf den Karrenwegen, im dicken Lehmstaub, der unter den Füßen der Männer aufwirbelt und sie ganz bedeckt. Wunderbares Zauberwort: »Das Regiment«. Wildes Heimweh nach Rußland überfällt Meta. Nie wird das Regiment wissen, daß hinter ihm, tränenblind vom gelben Staub, ein kleines Mädchen dahinstapft, hinauf und hinab durch Galizien, durch Dörfer und Lindenalleen und vorbei an goldenen Feldern, Sümpfen und schwarzen zerschossenen Wäldern. Rußland ist weit und riesengroß, und das Regiment macht viel zu lange Schritte. Manchmal wird der Marsch unterbrochen. Die Männer sitzen in Lehmhütten und trinken Rum, oder sie liegen im Stroh und fangen Läuse aus ihren Kleidern. Es ist schrecklich, so viel Läuse zu haben. Auch der Hauptmann hat Läuse. Er wohnt jetzt in Graz, und das klingt recht unglaublich. Vielleicht liegt er auch gerade auf seinem Sofa und träumt von Rußland. Der Hauptmann hat ein dunkles Gesicht, schmale schwarze Augen und gelbe Finger, vom Zigarettendrehen. Und er ist froh, daß das Geld in der Regimentskasse nicht weniger wird. Vom Geld versteht er nämlich gar nichts.

Jetzt zucken Vaters Lider, und der Perlmutterstreifen blitzt auf. Lacht Vater hinter der vorgehaltenen Hand? O mein Gott, muß es beim Regiment lustig zugehen; und sie ist nicht dabei.

Mama wird böse, wenn Vater Meta vom Krieg erzählt. Der Krieg ist blutig. Die Soldaten verlieren Arme und Beine oder werden ganz totgeschossen. Sie weint fast, wenn sie daran denkt. Auch ihr Bruder ist gefallen. Vater muß das alles bestätigen. Aber immer wieder bettelt Meta: »Erzähl mir vom Krieg!« Und nach einem scheuen Blick auf die Küchentür läßt Vater sich wieder dazu verleiten. Wie er die Ruhr bekommen hat, ein unbeschreiblich grausliches Bauchweh, an dem die Leute sterben wie die Fliegen. Matt und erschöpft liegt er in einer russischen Lehmhütte. Es ist ihm schon ganz gleich, ob er stirbt oder nicht, wenn nur das Bauchweh aufhört. Schon schließt er die Augen und will nichts mehr von dieser Welt wissen, da öffnet sich eine Falltür, und wer kommt herauf? Eine wunderschöne Jüdin mit Haaren schwarz wie Rabenflügel, und sie trägt vorsichtig in beiden Händen eine große Schüssel voll gedünsteter Äpfel, die sie Vater mit dem Löffel einflößt. Bald darauf schläft er ein, und am nächsten Tag ist er gesund. Schwach zwar, aber geheilt von dem grauslichen Bauchweh, der Ruhr. Die schöne Jüdin aber bleibt verschwunden. »Vielleicht war sie eine verkleidete Fee«, mutmaßt Meta. »Möglich«, meint Vater, und seine rauchblauen Augen starren weit über sie hinweg.

Die schöne Jüdin verwandelt sich nach einiger Zeit ganz überraschend in den Feldwebel Spindelböck aus Haag am Hausruck. Meta protestiert empört, und Vater gibt sofort seinen Irrtum zu. Eine kleine Verwechslung. Das war ja bei der Cholera, einer noch schlimmeren Krankheit. Gegen sie hat manchmal Rum geholfen. Sehr viel Rum, den man den Kranken mit Hilfe eines Trichters eingegossen hat. Genau das hat der Feldwebel Spindelböck mit Vater getan. Ein sehr braver Mensch, der Spindelböck; leider hat er sich am Rum totgesoffen. Zuletzt ist er nur noch unter dem Tisch gelegen in der Regimentskanzlei. Aber das war schon in Italien, in den Sieben Gemeinden; traurig, traurig. Meta ist geneigt, dem Feldwebel Spindelböck ein ehrendes Andenken zu bewahren. Immerhin hat er Vater das Leben gerettet.

Auf diese Weise spinnen sich stundenlang die Geschichten dahin. Metas Kopf schwirrt von unaussprechlichen polnischen und russischen Namen. Und überall dort ist Vater gewesen. Im Ofen kracht das Holz, und davor sitzt Vater im Lehnsessel, müde von einem langen Tag auf dem eisigen Holzlagerplatz. Mama ist in der Küche, und niemand stört die Zweisamkeit des ungleichen Paares, das Hand in Hand von einem drekkigen Dorf zum andern marschiert. Die Russen tragen die Hemden außen, haben lange blonde Bärte und sind meist arme brave Menschen.

»Warum habt ihr dann auf sie geschossen?« – »Sie haben ja auch auf uns geschossen.« – »Aber ihr seid doch auch brave Leute gewesen.« Vater denkt angestrengt nach, seine Augen werden groß und starr. »Weißt du«, sagt er endlich, »gegen den Krieg kann ein gewöhnlicher Mensch gar nichts ausrichten«, und nach einem Zögern, »aber ich hab' immer in die Luft geschossen, nicht auf die Russen. Aber das bleibt unter uns. Es ist unser Geheimnis.« Meta ist beruhigt. Niemals wird sie dieses wunderbare Geheimnis verraten.

Alles ist gut. Wenigstens die Russen laufen noch herum, die Vater nicht erschossen hat.

Das Beste an Vaters Geschichten ist, daß sie sich unmerklich immerzu verändern. Er ist unfähig, eine Geschichte zweimal ganz gleich zu erzählen. So entsteht ein feines Gespinst, das nach allen Richtungen auseinanderläuft. Gar nichts ist festgelegt, und nichts wird langweilig. Ewig könnte Meta zuhören. Längst webt auch sie an diesem Gespinst mit. Sie macht Vorschläge, befördert oder degradiert Mannschaften und Offiziere. Unliebsame Militärpersonen verschwinden in der Versenkung, und kein Hahn kräht nach ihnen. Manchmal verirrt Meta sich zu weit ins Phantastische, dann winkt Vater sanft ab. So versetzt sie eines Abends das Regiment nach Belutschistan, nur weil ihr dieses Wort gefällt. Vater sagt nicht direkt nein dazu, er läßt die Angelegenheit in der Schwebe, bis Meta sie vergessen hat. Er ist nämlich der Ansicht, daß fast alle Dinge mit der Zeit sich ganz von selber erledigen. Was ist schon wirklich wichtig.

Es gibt auch Andenken an den Krieg, sogenannte Trophäen. Was immer eine Trophäe sein mag, diese eine ist das Achselstück einer Uniform. Es ist himmelblau und goldbestickt und mit dem Monogramm A. J. versehen. Vater und Tochter mutmaßen, wer mag wohl dieser geheimnisvolle A. J. gewesen sein: mindestens ein General. Zwanzig Versionen werden in die Welt gesetzt und wieder verworfen, bis das Spiel seinen Reiz verliert und sie zum Regiment zurückkehren, zu den Spindelböck, Rauhtaschel, Strasser und Gasser; zum Hauptmann und zum Adjutanten, der seine neuen Stiefel in Charkow verloren hat. Niemals werden die Leute vom Regiment langweilig wie der vornehme

A. J. Meta kennt jeden einzelnen und begleitet auf einem Trainwagen, unter einem Schafpelz versteckt, das Regiment. Sie hat Läuse und muß sich fortwährend kratzen. Mama behauptet zwar, es ist ein Floh von Schlankl, aber Meta weiß es natürlich besser.

Einmal sagt Mama: »Wenn die Kugel damals Vater getroffen hätte, wärst du nicht auf der Welt.« Die Kugel ist jenes Geschoß, das Vaters Kappe durchschlagen hat, einen Finger breit über der Schädeldecke. Die Kappe liegt auf dem Dachboden. Meta kann die Finger durch beide Löcher stecken; einen Finger breit tiefer, und sie wäre nicht auf der Welt.

Wie mag das sein, wenn man nicht auf der Welt ist? Sie schließt die Augen, zieht alles ein, was sie einziehen kann, Augen, Gehör und Geruch, und erstarrt. Aber immer noch ist sie da. Der Magen kullert, das Herz pulsiert, und rote Dämmerung brütet hinter den Lidern. Sie muß sich noch mehr zusammenziehen, immer kleiner, immer kleiner. Eingerollt, den Mund mit den Knien verschlossen, übt Meta das Nicht-auf-der-Welt-Sein. Die Röte hinter den Lidern erlischt, Arme und Beine sterben ab, der Magen verstummt, der Herzschlag verebbt. Meta ist nie geboren worden. Es ist nicht unangenehm, nicht dazusein. Es ist überhaupt nichts. Dann wird sie langsam wieder in diese Welt geboren. Die Ohren erwachen zuerst und vernehmen das Sirren der Wespen im Dachgebälk. Dann spürt die Nase den Geruch des Mehlsacks, auf dem sie liegt; auf der Zunge erwacht der Geschmack des Speichels, und als sie die Augen aufschlägt, flutet die Welt in sie zurück. Sie ist wieder da und den anstürmenden Geräuschen, Gerüchen und Bildern ausgeliefert. Dieses Sich-nicht-wehren-Können ist das Leben. Und da liegt die durchschossene Kappe. Dankbar müsse sie sein, sagt Mama immer. Zum erstenmal zweifelt Meta daran. Sie ist nicht dankbar. Sie lebt, und da kann man gar nichts machen. Manchmal ist es angenehm, oft unangenehm und immer eine große Bedrängnis.

Der Schläfer im Lusthaus regt sich noch immer nicht. Die Lider sind jetzt fest geschlossen, die Hand ruht auf Mund und Nase. Ganz weit weg muß er sein. Metas Blicke und Gedanken dringen nicht durch das dichte Schlafgespinst. Es ist schrecklich, ausgeschlossen zu sein.

Etwas nähert sich zögernd und verstohlen. Es ist die verbrecherische braune Henne, die ihre eigenen Eier hinter dem Lusthaus auszutrinken pflegt. Immer wieder findet Berti hier die leeren Schalen. Die Henne tut ganz harmlos, als wolle sie sich nur ein wenig im Schatten ergehen, äugt um sich, erzeugt kleine dreizehige Spuren im Staub und beachtet Meta gar nicht. Dann biegt sie, leise, wie sie gekommen ist, wieder um die Ecke. Jetzt ist Meta ganz allein.

Hinter dem Lusthaus ist es düster, weil die Fichten jeden Sonnenstrahl abhalten. Ein verdächtiger, verrufener Ort voll Hühnerdreck und Moder. Ein Ort, an dem eine entartete Henne ihre Eier austrinkt und eine Tochter den Schlaf des Vaters belauscht.

Es gibt böse Menschen. Mama hat das schon oft behauptet, aber Meta hat ihr nie geglaubt. Diese Frau aber, die Meta heute zum erstenmal sieht, ist böse. Sie sitzt in der Stube und wartet auf Mama, die in der Küche Kaffee kocht. Ob Mama gar nicht weiß, daß sie in der Stube eine böse Frau sitzen hat? Vielleicht hat sie es gleich gemerkt und will die Fremde mit Kaffee und Honigbroten bestechen. Die Frau kommt aus der Stadt und hat süß mit Mama geredet, meine Liebe her und meine Liebe hin. Meta hat sie lange genug beobachtet unter halbgesenkten Wimpern, man soll ja die Leute nicht unverschämt anstarren, und jetzt möchte sie lieber gehen, die Frau gefällt ihr nicht. Sie hat dünne schwarze Haare, die in der Mitte gescheitelt sind, über einem Gesicht, das aussieht wie aus Lehm gemacht, und gelbe lange Finger, mit denen sie dauernd Brösel vom Tisch aufpickt. Es sind aber gar keine Brösel da. Das Böse an ihr sind die Augen, die gelb und schmal sind und alles aufspießen, was sie sehen. Und die Frau hat viel zuviel Zähne, die man alle sehen kann. Es ist unanständig, so viel nackte Zähne zu zeigen. »Unterhalte die Dame ein bißchen«, hat Mama gesagt, ehe sie in die Küche gegangen ist. Wie soll sie dieses böse gelbe Weib unterhalten? Wenn sie nur nicht ein so widerliches braunes Kleid trüge. Meta, die sonst mit jedem Menschen anbändelt, ist wie auf den Mund gefallen. »Du bist aber ein schüchternes kleines Mädchen«, sagt die Fremde. »Komm her zu mir, ich mag so schüchterne kleine Mädchen gern.«

Widerwillig schiebt Meta sich näher, da schnappen schon die gelben Finger nach ihr, und sie ist gefangen. Meta hört gar nicht recht, was die Frau alles sagt. Warum lügt sie nur? Sie kann kleine Mädchen gar nicht ausstehen, und sie mag überhaupt keinen Menschen, und unter dem Duft von Kölnischwasser riecht sie nach etwas sehr Häßlichem. Meta stemmt sich gegen die gelben Finger und wird so plötzlich losgelassen, daß sie zurücktaumelt. Verlegen setzt sie sich wieder auf den Schemel und spürt, wie ihre Stirn feucht wird.

»Kannst du überhaupt schon häkeln?« fragt die Fremde scheinheilig. »Nein«, flüstert Meta. »Aber du gehst doch schon in die Schule. Lernst du denn dort nicht häkeln?« Meta schweigt. Was soll sie auch sagen. Freilich sollte sie schon häkeln können, aber sie wird es nie erlernen, und die Lehrerin sieht darüber hinweg. »Schade«, sagt die flache böse Stimme. »Kleine Mädchen, die nicht häkeln lernen, werden nie gute Frauen«, und sie schnellt den Kopf so weit vor, daß Meta erschreckt zurückzuckt. »Du hältst dich wohl für etwas Besseres als die Dorfkinder. Das bist du aber nicht. Du mußt genauso häkeln lernen wie alle anderen.« Und sie lacht mit allen ihren unanständigen Zähnen.

Meta hat große Angst. Was will diese Frau von ihr? Was sie da eben gesagt hat, war etwas sehr Böses. Man müßte ihr die spitze Nase abbeißen, aber der Gedanke ist so grauslich, daß Meta fröstelt. Sie wird rot vor Zorn. »Du brauchst nicht zu erröten, mein Kind«, sagt die Fremde, »weil ich deinen geheimen Hochmut erraten habe. Ich weiß auf den ersten Blick, was ein Kind denkt. Mir kannst du nichts vormachen. Du bist ein recht verzogenes Geschöpf. Na, man wird ja noch sehen, was aus dir wird.« Jetzt müßte Meta aufstehen und weggehen, aber sie bleibt wie erstarrt sitzen. Die fremde Frau hat ihr etwas angetan, und sie kann sich nicht wehren. So dreht sie nur den Kopf zur Seite, um sie nicht länger sehen zu müssen.

Dann kommt endlich Mama mit dem Kaffee. »Sie haben aber ein reizendes Kind, meine Liebe«, säuselt die böse Frau, »und so schüchtern.« Die arme unschuldige Mama wundert sich. Kein Mensch hat je zuvor Meta schüchtern gefunden. Sie merkt offensichtlich nicht, mit wem sie es zu tun hat. »Du kannst jetzt hinauslaufen, Meta«, sagt sie; aber die denkt nicht daran, Mama im Stich zu lassen, und tut, als habe sie nicht gehört. »Meta heißt sie also, was für ein seltener Name.« Meta weiß genau, was die Fremde meint, nämlich, daß sie nicht gut genug ist für einen so schönen Namen, aber Mama merkt und merkt noch immer nichts. »Ja«, sagt sie so nebenhin, »eigentlich heißt sie nicht so, aber wir nennen sie so nach ihrem Lieblingsmärchen.« Was geht das die Fremde an. »Lauf schon endlich hinaus!« drängt Mama. Sie will unbedingt allein sein mit dieser gelben Teufelin. Jetzt bleibt Meta nichts übrig, als in die Küche zu verschwinden. Dort sitzt sie auf der Bank und lauscht. Sobald Mama um Hilfe schreit, wird sie hineinstürzen und die fremde Frau beißen und kratzen, so widerlich es sein mag. Aber Mama schreit nicht um Hilfe, und Meta wartet geduldig, bis die Fremde gegangen ist und eine sehr aufgeräumte Mama zurückläßt. »Das ist eine wirklich feine Frau«, behauptet Mama, »ich kenne sie von früher her.« Arme Mama! Meta beschließt, feinen Frauen aus dem Weg zu gehn und Mama immer vor ihnen zu beschützen. Hoffentlich kommt die böse Person nie zurück.

Zwei Tage lang fühlt Meta sich sehr ungut. Etwas gärt und brodelt in ihr, und sie muß sich immerzu kratzen. Schlankl wird mit Kernseife gewaschen und winselt jämmerlich. Dabei sind es gar nicht die Flöhe, die so beißen. Mama kann sich nur nicht vorstellen, daß es unsichtbares Ungeziefer ist, das Meta so plagt.

In der folgenden Nacht träumt Meta. Sie hat die böse Frau gefangen, gefesselt und in den Wald geschleppt. Dort brennt ein großer Scheiterstoß, und Meta wirft die Böse darauf. Das Feuer brüllt auf und verschlingt die Widersacherin. Wilde Freude schlägt über Meta zusammen. Sie ist eine beleidigte Gottheit und muß die große Schande rächen. Schreiend rennt sie um den prasselnden Scheiterhaufen, und alle Bäume und Büsche tanzen mit ihr den großen Freudentanz. Das Bündel in den Flammen ist ganz still, und so soll es allen Feinden ergehen. Plötzlich bricht alles mit einem lauten Krachen zusammen, und Meta starrt in einen Haufen Asche, in der ein paar gelbe Knochen liegen. Die Schande ist verbrannt, aber die Knochen schauen noch immer böse aus. Meta muß eine Grube graben und sie mit Erde und Moos bedecken. So, jetzt ist alles zugedeckt. Die Bäume haben aufgehört zu tanzen, und es ist ganz still im Wald. Und dann fangen die Knochen unter Erde und Moos zu kichern an, ein schreckliches, böses Gekicher. Meta weiß, nichts, gar nichts, kann das Böse umbringen.

Naß vor Schweiß sitzt sie im Bett und findet sich nicht zurecht. Etwas kichert noch immer, und es weiß etwas von Meta, was kein Mensch wissen dürfte.

Am Morgen ist sie sehr still und hat keinen Hunger. »Was ist denn los?« fragt Mama, und Meta weiß nicht, was sie sagen soll. Etwas Schreckliches ist geschehen, und sie kann sich nur undeutlich erinnern. »Die Bäume haben getanzt«, sagt sie. »Du hast schon wieder geträumt«, seufzt Mama, »wenn du dir das nur abgewöhnen könntest. Ich muß dir am Abend Honigwasser geben.« Meta schweigt. Honigwasser ist süß, aber nichts ist so süß, daß es sie wieder lustig machen könnte. Mama versteht das nicht. »Ist es eine Schande, wenn man nicht häkeln kann, Mama?« – »Eine Schande gerade nicht, du hast halt kein Talent zum Handarbeiten. Soll ich dir häkeln lernen?« – »Nein«, schreit Meta und springt vom Tisch auf, »ich will überhaupt nie häkeln lernen, und wenn die böse Frau dir was tun will, bring' ich sie um.« Und sie stürzt aus dem Haus, die gelbe

Mähne gesträubt und die Arme hochgeworfen. Mama ruft etwas hinter ihr her, aber Meta achtet nicht darauf. Sie will im Augenblick nichts mit den Großen zu tun haben.

Es gibt Sonntage, an denen Meta mit Mama, und solche, an denen sie mit Vater zur Kirche geht. Nach der Kirche muß Mama immer mit ein paar Frauen auf dem Kirchenplatz reden, aber Meta merkt, sie tut es nicht gern, es macht sie ungeduldig. Nachher kauft Mama für Meta beim Wirt fünf Neapolitanerwafferln.

Auf dem Heimweg ist Mama ganz anders als zu Hause, jünger und fröhlicher. Sie zeigt Meta die Blumen und Kräuter am Wegrand. Meta ist ganz närrisch nach Kräutern. Am besten riecht der Thymian, wenn man ihn zerreibt. Auch Nußblätter riechen ganz wunderbar. Leider hat Mama nie viel Zeit, sie muß fertigkochen, was Berti vorbereitet hat. Auf dem Kirchenweg macht Mama nie unliebsame Bemerkungen. Es ist, als wäre ein Waffenstillstand geschlossen. Das ist gefährlich. Oft nimmt Meta sich vor, unzugänglich zu bleiben, aber sie bringt es nie fertig. Mama kann sehr bestrickend sein, wenn sie will. Meta weiß, dieses Glück kann nicht von Dauer sein. Sie kann sich niemals an Mamas jähe Stimmungsumschwünge gewöhnen. Deshalb bemüht sie sich, der Freude nicht ganz nachzugeben, damit es später nicht so weh tun kann. Wie beschwerlich ist es, mit Mama umzugehen. Sei vorsichtig, warnt eine innere Stimme, sei ja nicht zu übermütig. Aber es ist so schwer, vorsichtig zu sein, immer wieder vergißt Meta es. Vielleicht wird sie diese Kunst nie erlernen.

Einmal zeigt Mama ihr drei kleine weiße Anemonen

auf dem Kirchenweg, und die milchweißen sanften Blütenblätter lassen sie an Mamas Wange denken. Immer wenn sie seither Anemonen sieht, fällt ihr Mama ein. Nur riechen die Anemonen nach gar nichts.

Die Kirchgänge mit Vater sind einfacher und angenehmer. Er achtet in der Kirche gar nicht darauf, was für ein Gesicht Meta macht. Sie muß also nicht fromm dreinschauen, was sehr anstrengend ist. Und nach der Kirche kauft Vater ihr ein paar Würstel mit Kren. Meta ißt leidenschaftlich gern Kren, auch wenn ihr dabei die Tränen über die Wangen laufen und Vater sie auslacht. Das Brennen im Magen ist wunderbar, und es ist lustig, von Vater ausgelacht zu werden. Er redet mit dem Wirt und mit den Bauern über die Jagd, das Holz und über Gemeindefragen. Er weiß genau, was von ihm erwartet wird, und ist kein Spielverderber. Auf dem Heimweg stoßen sie dann regelmäßig auf das Regiment, und während ihre Füße sie brav über den vertrauten Kirchenweg tragen, bergauf und bergab, marschieren sie in Wahrheit auf den russischen Lehmstraßen dahin. Wieder einmal erlebt Meta, wie Vater eine ganze Nacht bis zu den Hüften im Sumpf steckt; wie er nachts auf dem Marsch einschläft und sich am Morgen plötzlich unter den Kaiserjägern befindet. Wenn man sehr müde ist, sagt er, kann man stundenlang schlafend marschieren. Meta schließt die Augen und stößt nach ein paar Schritten gegen einen Baum. So geht das freilich nicht. Einige müssen immer wach bleiben, außerdem ist in Rußland weit und breit kein Baum, nur eine große weite Ebene. Meta hat noch nie Flachland gesehen; wie wunderbar muß die große Ebene sein! Einmal wird sie sich das alles anschauen, die Felder, die an den Himmel stoßen, und die schwarzen

Sümpfe. Rußland muß ein verzaubertes Land sein, daß Vater es nicht vergessen kann. Vielleicht ist ein Stück von ihm dort zurückgeblieben. Meta fragt gar nicht mehr nach Italien. Vater weiß von dort nicht viel zu erzählen, nur was sich eben beim Regiment so täglich ereignet hat. »Und ist Italien schön?« – »Was heißt schon schön, Berge halt, nackte Felsenberge, die in der Sonne ganz rot leuchten. Das Meer hab' ich nur von ferne gesehen.« – »Aber die roten Berge müssen doch schön sein.« – »Ja«, sagt Vater widerwillig, »sehr schön«, und Meta kehrt reumütig nach Rußland zurück. Die beiden trödeln lange auf dem Weg herum, denn Vater bleibt bei spannenden Stellen stehen und vergißt ganz auf die Zeit. Wenn sie nach Hause kommen, steht das Essen schon auf dem Tisch, und Mama ist ein bißchen ärgerlich.

So bemerkenswert diese Sonntage sind, am besten sind doch die Bettsonntage, an denen Mama allein zur Kirche geht und Meta in ihr Bett schlüpfen darf. Ehe Mama weggeht, stellt sie Vater das Frühstück aufs Nachtkästchen, damit er es auch einmal am Morgen gemütlich hat. Das Bettfrühstück ist ein großer Spaß. Einmal beißt Vater vom Butterbrot ab, einmal Meta. Vater macht große breite Zahnabdrücke, Meta kleinere, die aber ganz ähnlich aussehen. Beide bemühen sich, gleichmäßige Berge und Täler zu erzeugen, und wer keinen Berg mehr fertigbringt, ist der Verlierer. Meist ist das Vater, weil Meta mit ihren kleinen Zähnen immer noch einen winzigen Berg machen kann.

Das Bettfrühstück gibt es nur selten, und es verliert nie seinen Reiz. Den Kaffee darf Vater allein trinken. Meta mag nur Kakao. Vater wischt sich den Schnurrbart mit der Serviette ab, und schon fängt Meta zu betteln an: »Erzähl mir, wie der Krieg aus war.« Vater möchte lieber schlafen, aber er weiß, wie hartnäckig seine Tochter ist, und läßt sich nicht lange bitten. »Also das war so: Wir sind auf Trient zumarschiert, aber nach Trient haben sie uns nicht hineingelassen. Die Stadt war schon verstopft von Flüchtlingen. So sind wir halt weitermarschiert gegen Brixen, und wie ich so dahingeh', rennen ein paar Zivilisten über die Straße, die haben gerade ein Lebensmitteldepot geplündert.« – »Darf man denn plündern?« – »Dürfen tut man nicht, aber damals war ja alles in voller Auflösung, und die Leute haben gehungert. Also, und gerade vor meinen Füßen läßt der eine Zivilist etwas fallen. Ich heb' es auf, und da war's ein ganzer Zuckerhut. So eine Freude! Den bringst du der Mutter, denk' ich mir und hab' ihn gleich unter den Arm genommen. Na, und so sind wir halt immer weitermarschiert. Auf einmal kommt eine Abteilung italienische Kavallerie angeritten und versperrt uns den Weg. Die haben auch heimgewollt, aber in die andere Richtung. Der italienische Hauptmann zügelt sein Pferd und tanzt da hin und her vor uns. Neben mir ist der Oberst Mondl marschiert, und der Italiener sagt zu ihm in schönstem Wienerisch: »Herr Oberst, lassen Sie Ihre Leute beiseite treten, sie sind gefangen.« Der Vater verstummt und starrt geradeaus auf den Kleiderkasten. Hat er sie denn vergessen? »Weiter, und was war dann?« – »Dann zieht der Oberst seinen Degen und schreit ganz aufgebracht: ›Herr Hauptmann, ich hab' hier viertausend Leute, die heimgehn wollen. Wenn Sie uns hindern, lasse ich Sie niedermachen. Befehlen Sie Ihren Leuten, Platz zu machen.‹« – »Weiter, habt ihr ihn niedergemacht?« – »Aber woher denn, der Hauptmann hat ja auch die

Nase voll gehabt. So sind die Italiener beiseite getreten, und wir sind weitermarschiert.« – »War der Oberst Mondl ein Held?« Vater wendet den Kopf und sieht Meta aus erstaunten Augen an. »Du meinst, weil er so geschrien hat mit dem Italiener? Wir waren damals alle fußmarod und der Oberst ganz besonders.« Meta schweigt beschämt. Sie hat wieder etwas dazugelernt. »Na, und dann«, fährt der Vater fort, »sind wir weiter über den Brenner, das ist ein hoher Paß, und wie wir nach Innsbruck wollen, hat man uns wieder nicht hineingelassen. So sind wir nach Hall in Tirol. Dort hab' ich einen Ochsen requiriert, und das Regiment hat zwei Tage Ruhe gehabt.« – »Was heißt requiriert?« – »Das heißt beschlagnahmt. Im Frieden würde man sagen geraubt. In Kriegszeiten nennt man das requirieren.« – »Aha; und den Zuckerhut hast du noch immer unter dem Arm getragen?« – »Den Zukkerhut? Nein, leider Gottes, den Zuckerhut hab' ich hinter Brixen einer armen Frau geschenkt; für ihre Kinder. Er war auf die Dauer doch zu schwer.« – »Und wo war denn die Regimentskasse?« – »Die war auf dem Wagen mit unserem Gepäck. Dann sind wir schließlich und endlich auf offene Viehwaggons verladen worden und bis Linz gefahren. Ich hab' gehofft, der Hauptmann wird schon da sein, er hat in Urfahr gewohnt, und wir sind auf dem Marsch auseinandergekommen. Auf dem Bahnhof in Linz ist ein Mensch mit einem Ochsenwagen gestanden, den hab' ich mir geschnappt und die Regimentskasse und was sonst noch da war aufgeladen und bin damit nach Urfahr gefahren. Hinter der Brücke war schon die Volkswehr, oder wie das Zeug geheißen hat, und ein Fähnrich hat mir die Kasse wegnehmen wollen, aber ich hab' gesagt, man soll um den Hauptmann schicken, und der war auch wirklich schon daheim und ist gekommen und hat sie aufgesperrt.« – »War noch viel Geld in der Kasse?« – »Gar kein Geld, nur ein paar Regimentsabzeichen. Dann hab' ich mich vom Hauptmann verabschiedet. Wir sind vier Jahre immer beisammen gewesen, die Urlaube ausgenommen. Na, und dann hab' ich einen Zug bekommen, und später hab' ich noch ein Stück marschieren müssen, und am nächsten Tag in aller Früh' bin ich endlich heimgekommen. Meine Mutter hat sofort zu kochen angefangen; Fleischknödel hat sie gekocht, das weiß ich noch genau. Der Otto war auch schon daheim, die andern noch nicht.« – »Was hat denn der Onkel Otto gesagt, wie er dich gesehen hat?« – »Der hat gesagt: ›Gott sei Dank, daß du kommst, ich hab' keine einzige Zigarette mehr.‹ Und so hab' ich ihm gleich eine ganze Schachtel voll geschenkt, und da war er recht froh darüber.« – »Und weiter, was war weiter?« Der Vater seufzt ein bißchen. Der Schlaf drückt ihm fast die Augen zu. »Dann hab' ich vier Tage lang meine maroden Füße gepflegt, und am fünften Tag hab' ich mein Revier übernommen. Es war so die höchste Zeit. Meine Vorgänger sind beide gefallen, und die Wilderer waren Herren im Revier. Alles ist in einem fürchterlichen Zustand gewesen. Na ja, und das war also das Ende vom Krieg.« Meta möchte gerne noch weiter fragen, aber Vater hat die Augen bis auf einen kleinen Spalt geschlossen und die Wange in den Kapricepolster gedrückt, ein Zeichen, daß er wirklich schon im Einschlafen ist. Da kann man nichts machen.

Sie gleitet lautlos aus dem Bett, zieht sich an und geht hinunter in die Küche, wo Nandi vor seinem Baukasten sitzt und seinen Puppen ein Zimmer baut. Berti heizt den Herd und stellt Erdäpfel zu, und alles ist friedlich und angenehm. Meta kann nicht verstehen, daß Nandi mit Puppen spielen mag. Er ist ganz versessen auf dieses häßliche Ding. Die Puppe heißt Julius und ist aus Zelluloid, Nandi kann das Wort noch gar nicht aussprechen. Dauernd muß Mama dem häßlichen Julius Kleider nähen. Nandis zweite Puppe führt ein elendes Leben und wird fortwährend gescholten und bestraft. Sie heißt Micherl und ist viel hübscher als Julius, aber Nandi mag sie nicht, weil sie angeblich frech und ungezogen ist. Manchmal versteckt Meta den zerbeulten Julius, und Nandi bekommt einen Wutanfall. Er ist eben noch klein und dumm und versteht keinen Spaß. Besser, sie kümmert sich gar nicht um seine lächerlichen Puppen. Außerdem mischt Mama sich gleich ein, wenn er brüllt, und das endet immer übel für Meta. Freilich, wenn Nandi zu lange brüllt, verliert Mama die Geduld und bestraft ihn auch einmal. Das ist unerträglich. Meta, die nie weint, wenn sie geschlagen wird, kriecht dann unter den Tisch und heult wie ein Hund. Dann läßt Mama Nandi los, zieht Meta unter dem Tisch hervor und versetzt ihr ein paar Ohrfeigen. Das veranlaßt Nandi zu neuem schmerzlichen Geschrei. Dann hat Mama genug von den beiden und flüchtet in die Küche. Bums, schlägt sie die Tür zu, daß die Gläser im Kasten klirren. Meta hängt ein Tischtuch über die Nähmaschine und zieht Nandi mit sich in die kleine finstere Höhle. Nandi riecht angenehm nach feuchter Haut. Nach einer Weile schläft er ein, den Kopf auf Metas Knien, eingerollt wie Schlankl im Ofenloch. Meta sitzt ganz still und denkt sich eine schöne traurige Geschichte aus, von zwei verstoßenen Kindern, die in einem alten Fuchsbau hausen. Das kleine Mädchen sorgt für seinen Bruder und ernährt ihn mit Erdbeeren und jungen Fichtentrieben, und dann kommt der Fuchs zurück und freundet sich mit den Kindern an. Nachts wärmt er sie mit seinem roten Pelz, und auch eine Hirschfamilie kommt dazu und schlägt ihr Lager neben dem Fuchsbau auf, und alle sind froh und glücklich, daß sie weit weg sind von den Großen.

Plötzlich überfällt Meta das Verlangen, diese Geschichte aufzuschreiben. Aber sie kommt erst ein paar Stunden später dazu, es zu tun, und da zeigt sich, daß es nicht mehr die richtige Geschichte ist. Sie hat sich beim Schreiben schrecklich verändert. Meta ist sehr unzufrieden. Alles, was in ihrem Kopf so lebendig und leuchtend gewesen ist, wird matt und grau. Sie steckt das Papier in eine Schublade und vergißt es. Später findet Mama die Geschichte und ist ganz begeistert davon. Nach dem Abendessen liest sie alles vor. Meta möchte in den Erdboden versinken, so schämt sie sich. In diesem Haus kann man wirklich nichts verstecken, gar nichts ist sicher vor Mamas Spürnase. Was hat sie denn schon getan, eine schöne lebendige Geschichte mit ihrem Bleistift umgebracht. Angenehm an der Sache ist nur, daß Mama Meta lobt und ihre Wange streichelt. Aber auch das ist keine reine Freude; Meta möchte gelobt und gestreichelt werden, auch wenn sie keine Geschichte geschrieben hat, aber daran ist nicht zu denken.

Von Zeit zu Zeit wächst das Verlangen nach kriegerischen Auseinandersetzungen, aber mit wem sollte Meta raufen? Die Großen sind zu groß, und Nandi ist zu klein. Der einzige mögliche Gegner ist die Brennesselschar am Bach. Ein Wald von Nesseln. Viele sind höher als Meta, alle aber reichen Nandi über den Kopf. Nach dem Frühstück zieht Meta den kleinen Bruder zur Seite und teilt ihm mit, daß wieder ein Feldzug gegen den frechen Feind bevorsteht. Nandi sieht aus sanften blauen Augen zu ihr auf, ein dicker kleiner Engel in Spielhosen. Er ist ganz Bereitschaft und guter Wille, wie es sich für einen Gefolgsmann gehört. Weil er noch so jung ist, darf er Wollstrümpfe, eine Jacke und Fäustlinge anziehen; Meta kämpft natürlich mit nackten Armen und Beinen. Mit Stöcken und einem Bündel Stricken ausgerüstet, ziehen sie auf die Bachwiese. Meta ist sehr schmerzempfindlich, aber sobald sie schön wütend wird, spürt sie überhaupt nichts. »Du«, erklärt sie Nandi, »bleibst immer ein Stück hinter mir, damit sie dich nicht ins Gesicht schlagen können.«

Die Nesseln ahnen, was auf sie zukommt, und stehen starr aufgerichtet und gespannt. Sie spreizen die giftigen Haare auf der Unterseite ihrer Blätter, eine Wand von brennenden grünen Feinden. »Auf!« schreit Meta und stürzt sich mit ihrem Stock auf die waffenstarrende Phalanx. Die ersten Feinde sinken zu Boden und geißeln Metas Arme und Beine. Jetzt erst erwacht die rechte Kampfeswut. Mitten hinein in die brennende Wand springt sie und schwingt ihren Stock nach allen Seiten. Neben ihr drischt Nandi laut schreiend auf die Feinde ein. Bald ist Meta mit Blasen bedeckt. Aber sie spürt keinen Schmerz. Der Feind muß ganz und gar vernichtet werden. Einmal rutscht sie auf den glitschigen Leibern der Gefallenen aus und versinkt in einem Meer zuschnellender Geißeln. Auf den Knien liegend, reißt sie die letzten Nesseln mit bloßen Händen aus der Erde. Der Feind ist geschlagen, ein zerbrochener, zerquetschter Haufen grüner Stengel, aus denen der farblose Lebenssaft sickert. Jetzt werden die Gefallenen gebündelt, mit Stricken zusammengebunden und über die Wiese und die Straße geschleift. Und dann beginnt der große Triumphzug. Nandi tut sich besonders hervor, er hat eine herrliche Stimme, und sein Gebrüll läßt selbst die Toten erzittern. Zehnmal schleppen sie die Gefallenen rund ums Haus, dann werden die erbärmlichen Reste auf den Misthaufen geworfen. Die Schlacht ist vorbei. Nandi singt noch immer seine wilden Lieder, aber Meta ist der Sache plötzlich überdrüssig. Ihre Haut brennt wie Feuer, tausend kleine Widerhaken stecken darin. Tapfere, stolze Nesseln; wie traurig und gemein, daß sie jetzt auf dem Misthaufen verrotten, und waren doch so schön und wild. Meta könnte um sie weinen. Aber die Wurzeln stecken ja noch in der Erde, und bald wird es auf der Bachwiese ein frisches grünes Sprießen geben, und eine Armee geharnischter Krieger wird heranwachsen und sich zum neuen Kampf stellen. Meta wäre sehr traurig, wollten sie plötzlich aufhören zu wachsen, die gehaßten und geliebten Feinde. Sie klagt nicht, daß ihr Gesicht, Arme und Beine anschwellen, und versucht nicht einmal, den Schmerz mit Wasser zu lindern. Es ist der Preis, den sie für den Sieg zahlen muß. Feuerrot sitzt sie am Tisch, und Mama sagt: »Wenn du nicht ganz und gar verrückt bist, weiß ich nicht, wer es ist.« Aber sie verbietet das Spiel nicht. Die Nesseln gehören ohnedies ausgerottet, und so tut diese närrische Tochter einmal etwas Nützliches. Nandi gleitet der Löffel aus der Hand, und Mama trägt ihn ins Bett zu seinem Nachmittagsschlaf.

Irgendwie vergeht der Tag, die Nacht aber wird fürchterlich. Meta wälzt sich in Fieberträumen und bricht endlich zusammen, begraben von einem Meer baumhoher Nesseln, die die Krallen in ihr Fleisch schlagen. Schluchzend erwacht sie und wirft die Tuchent von sich. Die kühle Nachtluft trocknet ihre feuchte Haut.

Es wäre gut, mit dem Feind Frieden zu schließen. Aber dazu ist es wohl zu spät. Zu viele Nesseln modern schon auf dem Misthaufen. Sobald man eine böse Tat vollbracht hat, wird man für ewige Zeiten bestraft. Das ist auch ganz in der Ordnung so. Sie muß die Rache der Besiegten hinnehmen. Meta friert und zieht die Tuchent hoch. Sogleich fangen die Blasen wieder zu brennen an. Wenn es doch einmal Frieden und Ruhe gäbe! Alle lieben Meta, und Meta liebt sie. Kein Streit, keine Eifersucht, keine bösen Erinnerungen. Meta ist ein kleiner Engel. Abends bringt Mama sie zu Bett, Meta war den ganzen Tag brav und hat keinen Grashalm gekränkt, der Schlaf kommt sanft und bringt nur Zärtlichkeit. Das Haus breitet seine alten Arme aus und nimmt sie auf, kühl und trostreich. Aber das gibt es wohl nur für brave Kinder. Und sie wünscht es sich ja auch nur in den schwarzen Nachtstunden und in der tiefsten Erniedrigung.

Morgen wird sie erwachen, die Wunden werden verheilt sein, und sie wird zu Mama etwas ganz Böses sagen, eine Ohrfeige einstecken und verstockt in die Schule abziehen. So ist das wirkliche Leben. Kein Mensch ahnt, was für ein gutes, edles Kind Meta manchmal vor dem Einschlafen ist. Oder war es nicht edel von ihr, die Familie mit schönen Gläsern zu beschenken? Auch wenn sie diese Gläser im Kopf gemacht hat und keiner sie sehen kann. Viele Tage lang hat sie an diesen Gläsern gezaubert. Purpurfarbene, enzianfarbene, grüne und rundherum glitzernde. Nie zuvor hat Meta etwas so Schönes gesehen. Bestimmt gibt es das in Wirklichkeit gar nicht. Sehr glücklich ist sie dabei gewesen. Vater hat nur blaue Gläser bekommen; zum Weinen schön war das Glockenblumenglas. Mama haben alle gelben Gläser gehört, in denen die Sonne eingefangen war, und Nandi die purpurroten. Sie selber hat nur das weiße Eisblumenglas für sich behalten. Jeden Abend ist sie ermattet vor Schöpferfreude eingeschlafen, ganz leer und selig. Aber was nützt das schon. Kann sie vielleicht sagen: »Mama, ich hab' dir ein Sonnenblumenglas gezaubert?« Und eines Abends, nach einem Streit mit Mama, ist es ausgewesen. Nicht einmal ein gewöhnliches Wasserglas kann Meta jetzt zaubern. Ihre Kraft ist dahin. Nie wieder wird ihr etwas so Wunderbares gelingen. Dumm und müde starrt sie auf die Wand. Nicht zaubern zu können, ist sehr schlimm, ärger als alles, was sie kennt. Jetzt können sie wieder alle an sie heran, bei Tag die Menschen und nachts die bösen Träume. Wenn Meta wieder zaubern könnte, müßte sie nicht mit den Brennesseln raufen. Sie legt die blasenbedeckte brennende Hand an die kühle Mauer und hört ein zartes Knistern. Das Haus schläft auch nicht. Es kann ja nicht schlafen, wenn Meta sich hin und her wirft im Bett. Gemeinsam werden sie auf das Ende der langen schwarzen Nacht warten.

Einmal, in den Ferien, erwacht Meta ganz früh. Die Sonne blinzelt über den Berg, und der Apfelbaum vor dem Fenster glitzert vor Tau. Sie hört den Schubkarren vorüberschnurren und weiß, Berti bringt das Grünfutter von der Wiese. Sie wird ihr dabei helfen. Bald trippelt sie neben dem Schubkarren her und hebt dort und da ein Büschel Gras vom Boden auf. Berti ist fröhlich und schäumt über vor Kraft. Sie ist kein Kind mehr, aber auch noch keine richtige Große. Meta spürt, daß sie oft auf ihrer Seite steht, wenn Mama gar zu streng ist. Deshalb hat sie Berti gern, aber auch weil sie ein so fröhlicher Anblick ist. Es hat allerdings keinen Sinn, sie um eine Geschichte anzubetteln, denn Berti fällt doch keine ein. Sie kann nichts erfinden, weiß aber alle Stücke aus dem Lesebuch auswendig, auch ganz lange Gedichte kann sie hersagen. Ihr Gedächtnis ist ein wahres Wunder. Berti ist ein gescheites Mädchen, nur selber erfinden kann sie gar nichts. Aber sie hört gutmütig zu, wenn Meta ihr etwas erzählt, und sagt nie »Das ist gelogen«, sondern tut, als wäre alles möglich. Berti ist aus einer gescheiten Familie. Ihr Vater philosophiert den ganzen Tag. Er geht nicht aufs Feld, sondern läßt seine vielen Kinder arbeiten. Er sitzt lieber in der Stube bei einem Krug Most und denkt ganz scharf nach. Sein Kopf ist groß, rund und glänzend. Das ist ein Zeichen von besonderer Klugheit.

Einmal nimmt Berti Meta in ihr Elternhaus mit, und Meta darf mit zehn Leuten aus einer Holzschüssel Beuschel essen. Das ist ein großes Erlebnis. Später sagt Bertis Vater gescheite Sachen, die Meta nicht ganz versteht, dann läßt er sich einen Krug Most holen, setzt sich mit einem Buch in den Herrgottswinkel und fängt zu lesen an. Man sieht deutlich, wie er nachdenkt. Sein Gesicht ist gesammelt, und seine Lippen bewegen sich leise auf und nieder. Berti und Meta machen sich still davon und traben Hand in Hand nach Hause. »Du hast auch einen großen Kopf«, sagt Meta endlich, »sicher wirst du auch so gescheit wie dein Vater.« Berti ist teils geschmeichelt, teils gekränkt. Sie will ohne großen

Kopf gescheit sein. Meta schlägt ihr vor, das Wachstum des Kopfes etwas einzuschränken und halbgescheit zu werden. Daraufhin versinkt Berti in düsteres Brüten. Dagegen ist nichts zu tun. Wenn Berti brütet, kann es stundenlang dauern. Nicht einmal Mama kann dann etwas erreichen.

Aber heute brütet sie nicht. Das schöne Wetter und der Tau auf dem Gras haben sie lustig gemacht. Sie hat schon um fünf Uhr angefangen zu mähen, und jetzt wirft sie das Gras in die Tenne. Genug Futter für fünf Kühe für einen ganzen Tag. Auf der Wiese starren die dicken, saftreichen Stoppeln des falschen Schierlings. Sie sind so scharf, daß Meta sich die Sohlen blutig schneidet. Aber das ist ihr ganz einerlei. Niemand kann so gut wie sie mit nackten Füßen auf den Stoppeln laufen, sogar die Holzknechte haben sie deshalb schon bewundert. Nichts riecht stärker als eine frisch gemähte Wiese. Meta glaubt zerspringen zu müssen. In ihrer Bedrängnis stürzt sie sich auf Berti, quetscht ihren Arm und beißt sie in die Schulter. Dann muß sie Purzelbaum schlagen und sich auf den Stoppeln wälzen. Berti mag das gar nicht, Grasflecken gehen so schwer aus der Wäsche. Metas kleine weiße Hose ist schon voll grüner Flecken. Was wird ›die Frau‹ sagen? ›Die Frau‹ ist Mama, und Meta ist es im Augenblick ganz gleichgültig, was sie sagen wird. So viel Prügel gibt es gar nicht auf der Welt, daß sie sich jetzt nicht im Gras wälzte. Berti verlegt sich aufs Bitten. Sicher wird die Frau ihr die Schuld geben. Da steht Meta seufzend auf und läßt sich auf dem Schubkarren heimfahren.

Berti philosophiert wie ihr Vater. »Eigentlich«, sagt sie, »bist du kein so schlechtes Kind. Nur bei gewissen Leuten und bei gewissen Gelegenheiten.« Wenn sie philosophiert, redet sie nach der Schrift und ein wenig höher als sonst. Meta versteht sie sehr gut. »Gewisse Leute und gewisse Gelegenheiten«; genau das ist ihr Kummer. Berti schweigt jetzt. Schweigen ist Gold, das hat sie auch von ihrem Vater. Auch Meta ist still. Sie mag über ihre chronischen Schwierigkeiten nicht einmal in Andeutungen reden. Aber es tut ihr wohl, daß Berti, die eine so gescheite Person ist, sie nicht verdammt.

Später frühstücken sie zusammen. Meta ist gar nicht hungrig, sie ist satt vom Grasgeruch. Essen ist überhaupt langweilig und zeitraubend. Berti schiebt das letzte Stück Butterbrot hinter die glänzenden Zähne, dann zieht sie rasch Meta die Hose aus und weicht sie in einem Winkel ein, wo man sie hoffentlich nicht gleich finden wird. Aus dem Flickkorb zaubert sie eine frische Hose hervor, und damit ist für den Augenblick nicht viel zu befürchten.

Bald darauf kommt Mama mit Nandi herunter. Der Tag fängt vielversprechend an. Nandi bekommt Sandalen angezogen. Er kann nicht barfuß laufen. Seine Sohlen sind zart und rosa wie Blumenblätter. Meta verdrängt das kannibalische Verlangen, in diese rosa Pracht zu beißen, und bemüht sich in Anbetracht der versteckten Hose, möglichst brav zu sein. So bald es geht, verschwindet sie mit Nandi zum Sandhaufen. Aber sie langweilt sich. Das ist kein Spiel für sie. Nandi bäckt mit einem Schöpflöffel Krapfen, und sein ganzes Bestreben ist es, diese dummen Krapfen genau in Reih und Glied aufzustellen. Sie muß ihn unbedingt davon abbringen, er ist so ausdauernd und könnte stundenlang Krapfen backen. Aber sie muß vorsichtig sein, sonst fängt er an zu brüllen und wird blau im Gesicht.

Ein gräßlicher Anblick. Dann wird Mama aus dem Haus stürzen, Nandi an sich reißen und Meta einen giftigen Blick zuwerfen. Immer glaubt sie, Meta habe Nandi geschlagen oder gestoßen, und Nandi, dieser kleine Engel, widerspricht ihr nicht. Meta ist ihm deshalb nicht böse. Es ist eben zu süß, von Mama gestreichelt und getröstet zu werden, aber sie rechnet mit seiner unschuldigen Tücke.

Ganz langsam muß sie ihn in ihre Netze ziehen. So nebenbei erzählt sie ihm von den großen Feuerrädern, die im Wald in einer Höhle eingesperrt waren und heute ausgebrochen sind. Gleich werden sie die Wiese herunterrollen, in einen blauen Flammenkranz gehüllt, sehr böse und schrecklich. Nandi ist ein Langsamer, aber wenn einmal ein Gedanke bis zu ihm durchdringt, geht er ihm auf den Grund. »Was tun sie denn Böses?« Meta gerät in Verlegenheit. Was, zum Kuckuck, tun sie denn wirklich, diese gräßlichen Feuerräder, die sie vor zwei Minuten erfunden hat. »Sie zünden die Hühner an«, sagt sie auf gut Glück, »und verbrennen sie bis auf die Knochen.« Nandi läßt entsetzt den Schöpflöffel sinken. Die Krapfen sind vergessen. »So tu doch was!« schreit er; »ich will nicht, daß die Hühner verbrennen.« Meta, die Nandis Liebe zum Federvieh kennt, leckt sich die Lippen. »Wir machen einen Plan. Wenn sie kommen, jagen wir sie ums Haus herum, fangen sie ein und sperren sie in die Werkzeugkammer. In der Nacht können die Wächter sie abholen.« – »Wer sind denn die Wächter?« Nandis Gründlichkeit ist manchmal zum Rasendwerden. »Frag nicht so viel«, schreit sie, »zwei Riesen sind die Wächter. Schau lieber, wie die Feuerräder über die Wiese rollen; gleich werden sie deine Hennen erwischen!« Nandi wirft einen

Blick auf die Wiese, und seine Augen weiten sich vor Entsetzen. Er springt auf, faßt nach einem Stock, der an der Holzhütte lehnt, und rast davon. »Halt, ihr Mörder«, brüllt er, »ihr verdammten Hunde! Meine Hühner werdet ihr nicht anzünden, ihr Mistzeug!« Eigentlich weiß er eine Menge verbotene Wörter für sein Alter, stellt Meta befriedigt fest, dann reißt sie eine Haue an sich und einen Faßdeckel als Schild und rennt hinter Nandi her. »Hinter dem Stall sind sie jetzt«, schreit Nandi, »hopp, hopp, nieder mit euch.« Wie die Rasenden hetzen sie ums Haus. Mama steckt den Kopf aus dem Küchenfenster, wird im Vorbeihasten aufgeklärt und verschwindet wieder. Nach zehn Minuten wilder Jagd ist Nandi erschöpft. Aber er hat sich tapfer gehalten. Die Feuerräder werden in die Werkzeugkammer getrieben. Nandi holt noch ein letztes aus der Streuhütte, dann wird der Riegel vorgeschoben und das Guckloch mit dem Faßdeckel verschlossen. Wie sie rumoren in der finsteren Kammer! Nandi dreht sich um und ruft zum Wald hinauf: »Ihr könnt schon kommen, ihr Riesen, und sie abholen, in der Werkzeugkammer sind sie!« Dann trabt er zufrieden zu Mama in die Küche.

Das Feuerräderspiel wird Tradition. Alle paar Wochen brechen die unglücklichen Gefangenen aus, werden gehetzt, eingesperrt und nachts von den Riesen abgeholt. Es ist eines der befriedigendsten Spiele, und Mama hat nichts dagegen, wenn sie auch nie recht versteht, worum es eigentlich geht. Sie hat auch gar nicht Zeit, sich darum zu kümmern, denn sie muß kochen.

Immerfort muß Mama kochen. Meta ist geneigt, sie zu bemitleiden. Ihretwegen muß sie sich bestimmt nicht plagen. Drei Butterbrote am Tag sind Meta lieber als alles andere. Aber Vater, Berti und der Adjunkt müssen tüchtig essen. Nandi ißt auch sehr gern, nur Meta und Mama machen sich nichts daraus. Mama ißt oft im Stehen am Herd ein paar Bissen. Sie sagt, der Geruch macht sie schon satt. Wie rätselhaft, daß eine Frau, die so ungern ißt, eine so leidenschaftliche Köchin ist. Am Morgen schon wird der große Herd geheizt, und dann geht das Feuer erst nach dem Mittagessen aus, und zur Jause wird schon wieder eingeheizt. Und immer steht ein großer Topf Erdäpfel für das Schwein auf dem Herd. Mama sollte ihn gar nicht heben, aber sie tut es immer wieder. Sie kocht Suppe, Fleisch, Knödel, Gemüse, und aus dem Backrohr duften die Mehlspeisen. Der Schweiß steht ihr auf der Stirn und läßt ihre Haare an der Haut ankleben. Aber nie hat Mama rote Wangen. Ihr Gesicht ist immer blaß. Fünf oder sechs Töpfe und Kasserollen stehen immer auf der Herdplatte. Im Winter ist das Brodeln und Summen ganz gemütlich, aber im Sommer ist die Küche eine Hölle. Und gerade im Sommer, wenn die vielen Gäste kommen, muß Mama so viel kochen. Manchmal überwindet Meta sich und bietet ihre Hilfe an, aber sie taugt zu gar nichts. Nie lernt sie, den Tisch richtig zu decken. Beim Umrühren liest sie und läßt die Milch überlaufen, und wenn sie den Salat gewaschen hat, sitzt immer noch, wie durch Zauberei, eine kleine Schnecke drin. Mit Schande und Spott wird sie aus der Küche verjagt. Eigentlich verübelt Mama ihr dieses Versagen nicht sehr. »Du wirst nie eine gute Hausfrau werden«, sagt sie. »Dich lassen wir studieren, denn du hast einen Kopf.« Es ist fein, einen Kopf zu haben und nicht in der Küche helfen zu müssen. Trotzdem leidet Meta an chronisch schlechtem Gewissen, wenn sie Mama so abgehetzt sieht. Und immer diese öde Esserei: Frühstück, Jause, Mittagessen, Jause, Abendessen, jeden Tag und jeden Tag. Und wie sie alle darauf versessen sind, aus Meta ein dickes Kind zu machen. Aber es nützt ihnen nichts; sie bleibt dünn und zappelig. Abends bekommen nur Vater und der Adjunkt Fleisch, die andern essen Milch- oder Mehlspeisen. Wenn aber Mama in die Küche geht, füttert Vater die Kinder mit seinem Fleisch. Er kann es nicht sehen, wie sie in ihrem Milchreis stochern. Mama wäre ärgerlich darüber, denn sie ist fest davon überzeugt, daß nur den Männern am Abend Fleisch zusteht. So ist sie es von daheim gewohnt. Vater mag diesen Brauch nicht. In seiner Familie haben alle Fleisch gegessen oder keiner. Meta durchschaut bald, daß nur sein Aussehen Mamas Vorstellungen von einem richtigen Patriarchen entspricht. Mit seiner stattlichen Gestalt und dem Bart wahrt Vater den Schein. Nur die Kleinen, Dünnen müssen immer auftrumpfen und ihren Willen mit Gewalt durchsetzen. Vater hat das nicht nötig.

Mamas Vater ist so ein kleiner, herrschsüchtiger alter Mann. Eigentlich sieht er lieb aus mit seiner weißen Haarbürste und den lichtblauen, verstörten Augen. Und doch ist er ein schrecklicher Tyrann. Er kann nur nicht mehr so, wie er möchte, weil er schon alt ist. Mama sieht ihm ähnlich, und sooft er kommt, streitet sie mit ihm. Er hat ihre Kindheit zerstört und die arme kleine Großmutter gequält. Mama liebt die kleine, gebeugte, noch immer schwarzhaarige Frau sehr. Immer ist sie wie ein Knappe zwischen ihr und dem Großvater gestanden. Viele Geschichten gehen um über ihn: wie er seine Adjunkten traktiert hat, beinahe wie Jagdhunde; und wie er dauernd in Streitigkeiten mit seinen

Vorgesetzten verwickelt war. Seine Kinder hat er nur bis zum sechsten Jahr gemocht, nachher hat er sie nur noch wie Sklaven behandelt. Wenn er um Mitternacht vom Bürgertag heimgekommen ist, hat er die armen Würmer aufgeweckt und sie das Einmaleins abgefragt. Und oft hat er sie mit seinem Ledergürtel verprügelt. Es ist nicht zu fassen. Dieser saubere, kleine alte Mann, der immer so adrett und höflich ist und nie ein häßliches Wort gebraucht. Man müßte ihn verabscheuen, wie Mama es tut, aber solange Meta zurückdenken kann, immer hat er ihr leid getan. Sieht denn niemand, wie unglücklich der Großvater ist? Merkt keiner die furchtbare Unrast und das unheilbare Verstörtsein, das aus seinen Kleidern sickert und aus seinem alten, trokkenen Leib?

Einmal, Meta ist noch sehr klein, besucht Mama mit ihr die Großeltern. Meta behält das Haus, einen alten Vierkanter, genau im Gedächtnis. Sie erinnert sich an jeden Raum und an die kleine Sandgrube unter dem Fliederbusch. Es gibt dort noch kein elektrisches Licht. Die Großeltern sitzen bei der Petroleumlampe am Tisch, und die beiden Tanten, verschreckte Geschöpfe, schlafen in einem Zimmer, in dem sie abends Kerzen brennen. Sie flüstern miteinander, und um sie liegt ein Hauch von Hoffnungslosigkeit. Die Großeltern schlafen in einem feuchten, düsteren Zimmer. Meta muß immer daran denken, wenn das Wort Gruft fällt. Begraben unter dicken Federbetten ruhen sie dort, die kleinen alten Leute. Es ist ein dunkles Geheimnis um sie. Die Großmutter müßte eigentlich den Großvater hassen, aber sie tut es nicht. Haß hat einen scharfen, bitteren Geruch, und die Großmutter riecht sanft und traurig. Sie ist eine einsame alte Frau, zu der man nie ganz vordringen kann. Meta schläft mit Mama im Gästezimmer auf einem roten Diwan, den Mama ganz an ihr Bett geschoben hat. Beim Ausziehen brennt eine Kerze in einem Messinghalter, und später hört Meta die Frösche vom Teich quaken. Es ist ein sonderbares Geräusch. Daheim gibt es keine Frösche und keinen Teich. Alles ist sehr fremd und doch vertraut, als hätte sie viel früher einmal hier gelebt. Sie ist froh, daß Vater Mama aus diesem traurigen Haus geholt hat. Aber sie liebt das traurige Haus mit einer vergeblichen bekümmerten Liebe. Jemand hat es verzaubert, vor langer Zeit, und so muß es immer traurig bleiben.

Am Morgen geht der Großvater mit Meta in die Stadt zum Wochenmarkt. Dabei erzählt er eine endlose Geschichte von einem bösen Forstmeister, den er letzten Endes doch besiegt hat. Meta merkt, daß er die Geschichte eigentlich sich selber erzählt. Kleine Kinder mag der Großvater; sie widersprechen nicht, und er hält eine warme lebendige Hand in der seinen. Er ist nicht mehr ganz allein. Ungestört kann er seine Zwistigkeiten mit längst verstorbenen Leuten weiterspinnen. Denn auch mit den Toten muß der Großvater hadern. Es hört gar nie auf.

Auf dem Markt geht er mit Meta Würstel essen und unterhält sich liebenswürdig, aber ohne zuzuhören, mit anderen alten Männern. Seine rastlosen Augen sind schon wieder weit weg. Dann kauft er für Meta ein Heiligenbild mit gepreßten Vergißmeinnicht und einer Papierspitze, die aussieht wie Zucker. Meta ist glückselig. Es ist so leicht, kleine Kinder glücklich zu machen. Wenn sie größer werden, geht dann alles schlecht aus. Der Großvater wird das nie verstehen, er weiß gar nichts über sich.

Dafür weiß die Großmutter alles über ihn. Sie schweigt dazu und seufzt manchmal leise und rücksichtsvoll. Sie sieht aus, als habe sie vor vielen, vielen Jahren beschlossen, nicht mehr wirklich zu leben. Und doch bricht manchmal durch ihre Schwermut eine Spur der verschütteten Heiterkeit. Das ist wie ein Wunder.

Meta muß die Großmutter immerzu anschauen. Sie ist ganz anders als alle alten Frauen, die sie kennt. Ihr Haar ist rabenschwarz, und ihre Augen sind braun, mit roten Punkten darin. Alles an ihr ist länglich, das Gesicht, der Mund, die Augen und die mageren Finger. Eine Fremde ist sie in ihrer eigenen Familie, eine sanfte, unbeugsame Fremde. Meta bewundert sie scheu und maßlos. Nie wird sie so vornehm aussehen wie die Großmutter, sie hat gar nichts von ihr mitbekommen. Man muß sehr vorsichtig mit ihr umgehen und sie möglichst wenig anfassen. Man kann sie wirklich nur anschauen und ihrer seltsam jungen Stimme lauschen, der Stimme, die so sanft und angenehm über gar nichts plaudert.

Die Sommer sind lang und heiß. Alle Onkel und Tanten kommen. Die Onkel und eine Tante sind Vaters Geschwister. Jeden Sommer verbringen sie im Forsthaus. Sie sind alle groß und üppig und einander ähnlich. Die zweite Tante ist winzig klein und nur eine angenommene Tante. Eigentlich war sie Mamas Lehrerin. Mama hat großen Respekt vor ihr, und das ist sehr komisch. Tante Wühlmaus ist der einzige Mensch, dem sie nicht zu widersprechen wagt. Warum die Tante Wühlmaus genannt wird, weiß Meta nicht, vielleicht weil sie ausschaut wie eine Maus. Sie hat graues Haar, ein kleines graues Gesicht und einen großen Busen, der in graue Seide gehüllt ist. Zu Meta ist Tante Wühlmaus, die sonst jeden herunterputzt, nie böse. Sie schläft bei ihr im Kabinett, und lustige Zeiten brechen an. Tante Wühlmaus ist eigentlich ein kleines Mädchen, das sich wunderbarerweise in eine alte Dame verwandelt hat. Abends im Bett kichern und erzählen die beiden, und die Tante kümmert sich nicht um Gebote und spendet auch nach dem Zähneputzen noch Süßigkeiten. Sie bringt immer einen Koffer voll geheimnisvoller Dosen mit, die mit Rettichzuckerl, Seidenzuckerl und Schokoladetalern gefüllt sind. Es wird gemunkelt, die Tante sei eine Verschwenderin und habe sich sogar einmal Hummer und Artischocken aus Triest schicken lassen. Außerdem vertritt sie moderne Ansichten und redet manchmal daher wie eine Anarchistin. Sogar gegen den Bezirksschulinspektor ist sie einmal ausfallend geworden. Meta weiß nicht, was Anarchisten sind, faßt aber sofort eine leidenschaftliche Neigung zu ihnen.

Tante Wühlmaus erzählt gern aus ihrem Leben. Lauter Geschichten, in denen sie schließlich als lächerliche Figur dasteht. Jede Geschichte endet mit einer peinlichen Niederlage für sie. Einmal fällt sie angesichts eines verehrten Jünglings in eine Schmutzlache, dann geht sie hübsch aufgeputzt, aber in alten Pantoffeln zum Kurkonzert, und jedesmal, wenn sie sich mit einem Verehrer treffen will, bekommt sie Zahnweh, oder es wächst ihr mitten auf der Nase ein Pickel. Aber sie lacht nur dazu und sagt, das Leben ist furchtbar komisch. So kichern sich die beiden in den Schlaf, Meta und das kleine Mädchen in der alten Dame. Die Tante war nie verheiratet. Eine Kette unglücklicher Lieben zieht sich durch ihr Leben, und immer noch ist sie geneigt, bedeutende Männer anzuschwärmen. Aber dem scharfen Verstand in ihrem kleinen Vogelkopf gelingt es im Nu, den bedeutenden Mann in einen aufgeblasenen Tölpel zu verwandeln, der aufgegeben werden muß. Bald darauf taucht der nächste bedeutende Mann auf. Die Tante hat es mit den Künstlern, die sich leider besonders schnell als eitle Nichtse entpuppen.

Meta kennt übrigens keinen fleißigeren Menschen als Tante Wühlmaus. Nicht einmal Mama reicht an sie heran. Sie strickt, stickt, webt Teppiche und kocht das feinste Gelee. Tante Wühlmaus ist sehr belesen und kann viele Gedichte auswendig. Die meisten hat ein gewisser Heinrich Heine geschrieben, und Meta ist ihm sofort verfallen. Seine Verse sind so leicht und spöttisch und versetzen sie in helles Entzücken. Abends im Bett trägt die Tante ihr diese Gedichte vor, immer wieder, bis auch Meta sie auswendig kann. Übrigens benützt Tante Wühlmaus nachts ein Töpfchen, weil sie eine zarte Blase hat und der Abort zugig ist. Das Töpfchen, ein bemaltes Porzellanstück, wird nach Gebrauch mit einem seidenen Kissen zugedeckt. Das, sagt die Tante, ist feine Lebensart, und Meta solle sich das merken. Meta ist sehr beeindruckt davon. Manchmal erwacht sie nachts von diskret gedämpftem Geplätscher, setzt sich auf und flüstert: »Tante Wühlmaus, bitte sag was auf.« Und von irgendwoher aus der Dunkelheit ertönt es: »Die Veilchen kichern und kosen und schaun zu den Sternen empor.« Dann muß Tante Wühlmaus so lachen, daß sie einen Hustenanfall bekommt und sich und Meta mit Rettichzuckerl versorgen muß. Wirklich, angenehmere Nächte hat es nie zuvor gegeben.

Die Tante kriecht ins Bett zurück und erzählt die Geschichte von ihrer Nichte Pia und dem gräßlichen Onkel Swoboda. Pia ist in einem Modehaus in Mailand angestellt, eine bleistiftdünne, tuberkulöse, aber sehr mondäne Dame mit schneeweißer Haut und üppigem kupferroten Haar. Als Vollwaise ist sie von Onkel Swoboda in sein Haus in Görz aufgenommen worden. Dieses Scheusal von einem Onkel hat nichts im Kopf, als der armen Pia das Leben zu verbittern. Jetzt ist Onkel Swoboda schon lange tot. Er war Postdirektor in Ägypten; wieso, weiß der liebe Gott. Wenn Meta um Erklärung für derartige Absonderlichkeiten bittet, heißt es nur immer: »Das war eben noch in der alten Monarchie.« Für sie ist die alte Monarchie ein Zustand, in dem alles möglich ist. Schade, daß es sie nicht mehr gibt. Onkel Swobodas Haus in Görz, einem Ort, der auch in der alten Monarchie liegt, ist voll ägyptischer Schätze. Ein paar Kleinigkeiten haben sich über Tante Wühlmaus ins Forsthaus verirrt, so zwei bemalte Vasen und ein Straußenei. Onkel Swoboda also sitzt in Görz und haßt fast alles, was es auf der Welt gibt, besonders aber österreichische Offiziere. Im seidenen Schlafrock, gestickten Pantoffeln, eine lange Pfeife im Mund, beugt er sich aus dem Fenster und murmelt höhnische Verwünschungen, sobald eine Militärperson vorbeigeht. Und natürlich verliebt sich die arme Pia in einen Deutschmeisterleutnant. Onkel Swoboda tobt in Schlafrock und Pantoffeln durchs Haus und schwört, die Kaution nicht zu zahlen. Er tut es auch wirklich nicht; ein Ungeheuer von einem Onkel. Bald darauf trifft ihn der Schlag, und wenig später wird der schöne Leutnant im Krieg erschossen. Und jetzt kommt die Stelle, an der Meta spürt, wie ihre Haare sich sträuben. In der Nacht, die dem Leutnant den Tod bringt, träumt Pia, und das ist ihr Traum: Onkel Swoboda kommt in seinem Schlafrock in ihr Zimmer geschlürft, beugt sich über sie, nimmt die Pfeife aus dem Mund und zischt: »Jetzt hab' ich ihn!« So ist Onkel Swoboda, unversöhnlich bis ins Grab. Tante Wühlmaus meint, es könne etwas Wahres daran sein. Die Rothaarigen haben einen sechsten Sinn. Sie ist überzeugt davon, daß wirklich böse Menschen auch nach dem Tod noch Bosheit ausstrahlen. Meta kann noch lange nicht einschlafen und ist froh, daß sie das leise Schnarchen der Tante hören kann.

Onkel Swoboda, ein wirklich böser Mensch, verursacht noch lange Scherereien. Ein Buch aus seinem Nachlaß landet im Forsthaus, wird von Mama begutachtet und als obszön ganz hinten im Kasten versteckt. Meta findet es und wird von Mama erwischt, noch ehe sie die erste Geschichte zu Ende gelesen hat. Es gibt einen großen Krach, und alles für nichts und wieder nichts. Wenn alle obszönen Bücher so dumm sind, will Meta nie wieder eins lesen. Die Geschichte handelt von einer Mutter, die mit ihrem Sohn geschlafen hat und deshalb enthauptet wird. Furchtbar strenge Gesetze muß es früher einmal gegeben haben. Metas ganz geheime Sympathie für Onkel Swoboda schlägt in Verachtung um.

Aber dieser Vorfall wird sich erst etwas später ereignen. Im Augenblick genießt Meta Tante Wühlmaus' Nähe. Sie befindet sich in Görz und sieht Pia im Park mit ihrem Leutnant spazierengehen. Der Sonnenschirm wirft grüne Schatten auf Pias Gesicht, und ihr Haar brennt wie Feuer. Etwas Unheilvolles schwebt um das Paar, das muß der sechste Sinn der Rothaarigen sein. Meta möchte die beiden warnen, aber es ist zu spät, die Kugel für den Leutnant ist schon gegossen, und in Pias Lungen fressen die kleinen Tuberkeln ihre heimlichen

Höhlen. »Eine Todeskandidatin«, hat Mama von ihr gesagt. Das heißt, Pia ist schon so gut wie gestorben. Das alles ist völlig unbegreiflich. Plötzlich ist Meta dieser Sache überdrüssig. Es ist eine Geschichte, aus der sie ausgesperrt ist und an der sie nichts mehr ändern kann. Sie legt sich flach auf den Bauch und ist im nächsten Augenblick eingeschlafen.

Bei Tag ist Tante Wühlmaus beschäftigt. Sie hilft Mama in der Küche. Von den anderen Gästen ist ohnedies keine Hilfe zu erwarten. Mama läßt sie erst gar nicht in die Küche hinein. Diese großen fröhlichen Leute machen sie nur nervös. Meta hat sie alle sehr gern. Eigentlich sind sie keine richtigen Erwachsenen, diese lauten, geliebten Großen, die nur eine Sache im Kopf haben, das Spiel. Onkel Schorsch ist Frühaufsteher, die andern kommen erst nach acht zum Frühstück herunter. Und wie gern sie essen: Kaffee, Butter, Honig, Marmelade und Schlagobers. Sie beißen zierlich in ihre Brote und kneifen vor Vergnügen die Augen zu. Das Frühstück zieht sich hin. Man erkundigt sich nach der Nachtruhe, erzählt Anekdoten, und endlich laufen alle Gespräche zurück in jene ferne Zeit, in den alten Schloßpark, in dem der Großvater Gärtner gewesen ist. Zurück zu den riesigen Bäumen, dem Teich mit den Goldfischen und zurück zu den Abenden, an denen der Großvater ihnen Jules Verne vorgelesen hat. Meta spürt, daß sie alle Heimweh haben, und sie ist stolz auf ihren Großvater, den sie nur von Bildern kennt. Er ist bestimmt der schönste Großvater der Welt. Wie wohl ihr die Zärtlichkeit tut, mit der die Onkel von ihm reden. Der tote alte Mann wirft seine Angel aus, und alle seine Fischlein kommen angeschwommen, zurück und hinunter, zwanzigtausend

Meilen unter dem Meer. Ein bißchen Neid frißt an ihr, daß sie nicht auch zu den Fischlein gehört, aber da hat der Großvater sie schon entdeckt und wirft die Angel nach ihr aus. Und wie sie angeschwommen kommt, tut der Haken nicht weh und löst sich in ihrem Mund in Süßigkeit auf. Ein großer Zauberer ist der Großvater. Alle hängen sie an seinen graublauen Augen und lauschen der tiefen Stimme, die so wunderbare Geschichten erzählt; zwanzigtausend Meilen unter dem Meer. Großvaters Hände sind breit und von Dornen und Gräsern zerstochen, und auf seinem graulockigen Haar liegt ein Glanz, der nicht nur vom Petroleumlicht stammt. Einmal hat Onkel Schorsch zu Meta gesagt: »Dein Großvater war ein guter Himmelvater. Ich kann dir sonst nichts sagen. Keiner, der ihn gekannt hat, kann ihn vergessen.« Das also ist Metas Großvater, eine sagenhafte Figur, die zugleich tot und lebendig ist. Wenn Meta ihr Abendgebet betet, weiß sie manchmal nicht genau, betet sie jetzt zum Großvater oder zum lieben Gott. Sie kann die beiden nicht auseinanderhalten, und eigentlich will sie das auch gar nicht.

Allmählich verstummen die Erinnerungen um den Frühstückstisch. Die Erzähler schauen schweigend in die Ferne. Und wie schön ihre Augen sind! Meta ist voll Verlangen nach diesen bunten Kugeln, die vom reinen Vergißmeinnichtblau über Grünblau, Rauchblau und Gelb leuchten. Und manchmal treten diese schönen Kugeln ein wenig aus ihren Höhlen und werden starr. Meta hat früher immer nach ihnen getappt, jetzt weiß sie längst, daß sie nur zum Anschauen da sind. Auch sie hat so große runde Augen, und manchmal bleiben sie stecken und wollen als blaue Kugeln aus ihrem Kopf springen. Dann sagt Mama: »Starr doch nicht so, das ist ja zum Fürchten«, und Meta senkt die Lider und drängt diese fürchterlichen Augen zurück, die die ganze Welt auffressen möchten.

Das Frühstück ist vorbei, Butter, Obers und Honigreste schmelzen auf den Tellern, und die Gäste erheben sich; große Leute mit schlanken Gliedmaßen und üppigen Leibern. Tante Helene bleibt noch ein wenig sitzen. Sie hat so zarte Füße, daß sie nur mit Mühe gehen kann. Die dünnen Beine wollen den schweren Leib nicht tragen. Ihre Hände sind weiß und zerbrechlich, und sie hat noch nie im Leben gearbeitet. Sie könnte es auch nicht. Schon die Mühe, das Haar aufzustecken, ist zu groß für diese zarten ungeschickten Finger. Aber Tante Helene ist gescheit, so gescheit, daß sie für weniger gescheite Leute denken muß. Sie wohnt in Böhmen in einem Schloß. Erst hat sie die Kinder unterrichtet und ist dann gleich dort geblieben, weil ihre Zöglinge sie immer noch brauchen. Sonderbar muß das Leben in dem böhmischen Schloß sein. Man spricht einander nur in der dritten Person an. Manchmal vergißt Tante Helene, wo sie ist, und sagt zu einem ihrer Brüder: »Hat Er schon gefrühstückt?« oder: »War Er heute wieder spazieren?« Das ganze Jahr sitzt Tante Helene bei Gänse- und Entenbraten in jenem Schloß und herrscht von ihrem Zimmer aus. Sie ist viel älter als ihre Geschwister, härter und kühler, und sie hat die besten Manieren. Niemals sagt sie ein verbotenes Wort, und wenn jemand flucht, überhört sie es. Meta hat die Tante nicht so gern wie die Onkel. Sie spürt, daß die Tante sich gern mit ihr unterhält, aber sie hat so wenig Übung im Umgang mit kleinen Kindern. Ihr Herz ist versteckt hinter kühlen himmelblauen Augen, und Meta ist in ihrer Gegenwart immer schüchtern. Die Onkel behandeln Tante Helene respektvoll, aber wie ihresgleichen, so, als wäre sie keine Frau. Vielleicht ist sie auch wirklich keine; dort, wo andere Frauen einen Busen haben, trägt sie einen Spitzenwasserfall. Und sie ist genauso versessen auf Spiele wie die Männer. Damit vertreibt sie sich auf dem böhmischen Schloß die Langeweile. Im Winter, wenn der Park verschneit ist und die Zeit stillsteht, spielt sie mit dem Kaplan und den Baronessen, die auch schon ältliche Damen werden. Sie spielt alle Kartenspiele, Schach, Halma, Festung und Dame.

Sofort nach dem Frühstück fangen die Verhandlungen an. Onkel Otto will Schach spielen und schaut nach einem Partner aus. Vater ist nicht da, Onkel Schorsch will einen Ausflug machen, bleiben also nur Tante Helene und Onkel Fritz. Aber Tante Helene will unbedingt Festung spielen, und weil sie, wie Mama sagt, einen starken Charakter hat, bestimmt sie einfach Onkel Fritz zu ihrem Partner. Der seufzt, verdreht die Augen und folgt ihr ergeben ins Lusthaus. Schließlich ist er mehr als zwanzig Jahre jünger als sie. Jetzt steht Onkel Otto schön dumm da. Schmollend verzieht er sich unter den Birnbaum und spielt mit der rechten gegen die linke Hand Schach. Bis mittags wird man nichts von den Spielern hören. Meta ist ein wenig enttäuscht, aber sie weiß längst, die geliebten Riesen, so freundlich sie sind, tun immer nur das, was sie tun wollen. Mama sagt, sie sind Egoisten, liebenswürdige Egoisten. Das dürfte ein betrüblicher Makel sein, aber eigentlich findet sie es gescheit, nur das zu tun, was man will. Wenn sie das nicht darf, wird sie böse und voll Haß. Die liebenswürdigen Egoisten hingegen sind immer guter Laune.

Meta trollt sich in ihre eigene Welt. Nicht zu Mama

in die Küche, wo schon um neun Uhr die Vorbereitungen zum Mittagessen angefangen haben. Wo Mama, klein, bleich und überanstrengt, irgend etwas klopft und paniert. Man kann ihr nicht helfen; sie müßte alles hinwerfen und sagen: kocht euch doch selber was, ich geh' jetzt spazieren. Aber Mama ist kein liebenswürdiger Egoist, sie ist ein Pflichtmensch, etwas, was Meta leider nie werden wird. Deshalb ist Mama auch so gereizt und nervös. Meta verzichtet ganz leicht auf die Ehre, ein Pflichtmensch zu sein. Sie holt sich ein Buch und geht damit in den Wald. Ganz außer Rufweite. Dies ist ihr Spiel. Sie hockt in einem Rindenhaus, die Wärme brütet rund um sie, Ameisen ziehen ihres Weges über ihre Beine. Meta spürt es nicht. Sie befindet sich auf dem Südpol bei Kapitän Scott und zittert vor Kälte. Die Schlittenhunde heulen draußen im Schneesturm. Tränen verdunkeln Metas Blick, sie fährt mit dem Ärmel über die Augen und liest weiter. Die Sonne steht hoch am weißblauen Himmel, und Meta stöhnt unter den scharfen Eisnadeln, die ihr blaugefrorenes Gesicht peitschen.

Jeden Sommer kommt Sascha mit seiner Mutter und seinen Großeltern aus der Stadt. Sie wohnen dann in einem nahen Bauernhof. Sascha ist viel älter als Meta; er geht schon ins Gymnasium und ist Primus. Jedes Jahr bringt er herrliche Zeugnisse heim, und seine Mutter ist sehr stolz auf ihn. Sein Vater ist im Krieg gefallen, und die Familie lebt von der Pension des Großvaters, eines alten Generals. Sascha wird militärisch erzogen. Er hat glänzende Manieren und gehorcht aufs Wort. Trotzdem mag Meta ihn gern. Er ist ein großer, korpulenter Bub mit einem blassen, düsteren

Gesicht. Seine Augen sind undurchsichtig grau und seine Brauen fingerdick und schwarz. Er sieht anders aus als irgendein Mensch, den Meta kennt. Natürlich könnte er abseits sitzen, aber das tut er nicht, er läßt sich dazu herab, mit den Kindern zu spielen. Auch Nandi mag Sascha, aber seine Zuneigung ist ein bißchen mit Angst gemischt. Er ist eben noch klein und fürchtet sich vor den dicken schwarzen Brauen. Es ist eine Ehre, mit Sascha zu spielen, nicht weil er Primus ist, sondern weil er zaubern kann. Schon am frühen Morgen erscheint er mit einem Messer und einem leeren Marmeladeglas und verkündet, er werde jetzt auf der Bergwiese die Birken anzapfen. Meta darf nicht mitgehen. Er muß bei diesem Zauberwerk allein sein. So steht sie vor dem Haus und verfolgt die Schritte des großen Freundes, bis er hinter den Lärchen und Birken verschwindet. Lange bleibt Sascha aus. Gegen Mittag kommt er zurück, erschöpft von der Kletterei, und zeigt den Kindern das helle duftende Birkenblut. Daraus wird Sascha, weil er gnädig gestimmt ist, Bonbons zaubern. Zu diesem Zweck sperrt er sich in der Holzhütte ein, verhängt das Fenster mit einem alten Sack, und bald hören ihn die Kinder murmeln und unverständliche Worte ausstoßen. Sascha zaubert auf lateinisch, er sagt, diese Sprache muß jeder Zauberer können. Endlich öffnet sich die Tür, er tritt heraus und streckt den Kindern seine Handflächen entgegen. Und siehe, auf jeder Hand liegt eine dicke Schokoladekugel. Wenn das kein guter Zauber ist! Sascha läßt sich bewundern, aber kein Lächeln verzieht sein breites düsteres Gesicht. Er kann auch fliegen. Er breitet einfach die Arme aus, steigt hoch in die Luft und schwebt über den Berg. Aber das zeigt er den Kindern nicht, es gelingt nur um Mitternacht. Niemand weiß von Saschas Geheimnis. Meta und Nandi müssen schwören, es keinem Menschen zu erzählen. Groß und einsam ist Sascha, ein Hexenmeister, der sich nur Kindern anvertraut. Fast jede Nacht, außer zu Neumond, fliegt er übers Gebirge, in Nebel oder Mondenschein. Die Rehe stehen klein und fern auf der Lichtung, und die Käuzchen umflattern ihn neugierig, wie er so still seine Bahn zieht. »Wie machst du das, Sascha, bitte!« fleht Meta; aber Sascha darf es ihr nicht sagen. Entweder man kann zaubern, oder man kann's nicht. Und Meta könnte doch bestenfalls eine Hexe werden, niemals ein Zauberer. Meta erscheint das wenig erstrebenswert; alle Hexen sind alt und häßlich und haben Warzen im Gesicht.

Nicht immer ist Sascha so guter Laune, manchmal hat er einen wilden Tag. Dann bezichtigt er die Kinder unglaublicher Verbrechen, zum Beispiel, im Nachbardorf den Stier geraubt zu haben. Nandi beteuert verzweifelt, den Stier gar nicht zu kennen. Aber Sascha ist unerbittlich. Er zieht ein Bündel Stricke aus dem Hosensack, fesselt den Kindern die Hände auf dem Rücken und schleppt sie in die Werkzeugkammer. Dort kauern sie jetzt auf alten Heusäcken. Meta erreicht als einzige Begünstigung, daß Nandis Fesseln gelockert werden. Sie will nicht, daß er zu brüllen anfängt, denn dann wäre das Spiel zu Ende. Sascha läßt mit sich reden, weil Nandi nur der Beihilfe zum Verbrechen des Raubes angeklagt ist. Die Haupttäterin ist natürlich Meta. »Pfui«, hat Sascha gesagt, »du ziehst ein unmündiges Kind in deine schmutzigen Machenschaften.« Meta kann nur staunen. Sascha redet wie die Leute in den dicken Büchern. Vielleicht lernt man das im Gymnasium. Ihre Fesseln schneiden tief ins Fleisch, aber sie erträgt den Schmerz heldenhaft. Hat sie jetzt eigentlich wirklich den Gemeindestier geraubt? Wenn sie es recht bedenkt, hält sie es gar nicht mehr für unmöglich. Wenn sie nur wüßte, wo sie ihn versteckt hat, aber daran kann sie sich einfach nicht besinnen. In der Kammer ist es finster, nur ganz unten ist ein Guckloch ausgeschnitten, dorthin kriecht Meta auf Knien und verhandelt mit ihrem Wächter. »Was geschieht mit uns, Sascha, sag schon.« Aber der Wächter ist unerbittlich. Er sitzt auf einem Stein und verkündet von Zeit zu Zeit: »Das Gericht ist zusammengetreten« oder: »Jetzt spricht der Staatsanwalt, das kann lange dauern.« Manchmal verläßt er seinen Posten und holt sich in der Küche bei Mama ein Butterbrot oder ein Glas Ribiselsaft. Dann ist Meta nicht geheuer zumut, und sie hat Mühe, Nandi zu trösten. Endlich sitzt Sascha wieder vor der Tür. »Der Verteidiger ist ein Esel«, sagt er, »es steht nicht gut.« – »Sascha«, fleht Meta, »kannst du nichts für uns tun?« Im Hintergrund wimmert Nandi auf den Heusäcken. »Du hast mich nicht Sascha zu nennen«, rügt der Wächter ernst, »sag ›Euer Gnaden‹; ich bin eine unbestechliche Amtsperson. Schweig und warte. Übrigens bin ich auch der Henker.« Betreten zieht Meta sich vom Guckloch zurück und tröstet den wimmernden Nandi. »Es ist doch nur ein Spiel, sei doch nicht so kindisch.«

Ist es wirklich nur ein Spiel? Sie weiß es selber nicht mehr. Es ist düster in der Kammer, und was da raschelt, sind sicher Ratten. In jedem Kerker gibt es Ratten. Und wer sitzt in Wahrheit vor der Tür, Sascha oder der Henker? Auf dem Bauch kriecht sie zum Guckloch und späht hinaus. Der Henker liest in einem grauen Buch, und was liest der Henker? Meta verrenkt sich fast den

Hals, um es verkehrt buchstabieren zu können. Er liest ›Rosenbergs Sammlung geometrischer Aufgaben‹. Sehr unmenschlich sieht er aus. Das breite Gesicht ist blaß von der Anstrengung des Nachdenkens, die schwarzen Brauen stoßen zusammen, und die Stirn ist in Falten gelegt. »Sascha, Euer Gnaden«, flüstert Meta, »Nandi muß sich schneuzen, und wir haben keine Hand frei.« Der Rosenberg wird zugeklappt, der Henker kniet vor dem Guckloch und befiehlt: »Her mit der Nase, ich mag keine rotzigen Gefangenen!« Nandi kriecht herbei und steckt seinen Kopf heraus. Der Henker zieht das blütenweiße Taschentuch und putzt ihm die Nase. Seine Hände sind zierlich und gepolstert, und man sieht die Kraft nicht, die in ihnen steckt. Vielleicht hat Nandis schmutziges Gesicht ihn gerührt, jedenfalls will er jetzt nachschauen im Gerichtssaal, denn man hört das Volk schon murmeln. Diesmal kommt er bald wieder. Er trägt ein hölzernes Schwert unter dem Arm, und Meta findet das kein gutes Zeichen. »Heraus mit euch«, sagt er und schleppt die Gefangenen in den Schatten hinter dem Haus. »Du, Nandi, wirst wegen großer Jugendlichkeit nur verwarnt. Geh hin und fang ein besseres Leben an.« Nandis Fesseln fallen. Er wirft noch einen scheuen Blick zurück und saust dann auf seinen runden Beinen davon, so schnell er kann.

Jetzt ist Meta ganz allein mit dem Henker. Sie ahnt, was ihr bevorsteht. »Du, Meta, wirst als rückfällige Gewohnheitsverbrecherin zum Tode durch das Schwert verurteilt. Ein letzter Wunsch steht dir frei.« Meta hat keinen letzten Wunsch. Sie will so schnell wie möglich geköpft werden, denn die Fesseln tun jetzt schon sehr weh. Sie kniet im hohen Gras, gleich wird ihr Blut den Boden tränken, diesen unheimlichen, bösen Boden. An dieser Stelle werden immer die Schweine geschlachtet. Jetzt wird man auch sie schlachten. Es ist alles nur ein Spiel, aber es wäre ihr lieber, sie könnte den Henker sehen. Vielleicht ist das gar nicht Sascha, der hinter ihr steht und das Schwert durch die Luft sausen läßt. Plötzlich fängt ihr Herz wild zu rasen an. Es glaubt also nicht mehr an das Spiel.

Sie spürt kaum, wie Sascha ihr die Fesseln abnimmt. Sie ist in letzter Minute durch den Kaiser begnadigt worden. Sascha reibt ihre erstarrten Hände, bis sie zu prickeln anfangen. Beide sind sehr verlegen, der Henker und sein Opfer. Sascha möchte etwas Lustiges sagen, aber es geht nicht. Verstört klemmt er das Schwert unter den Arm und geht davon. Meta fängt an zu zittern und muß sich ins Gras legen. Voll Entsetzen hört sie sich winseln wie einen kleinen Hund. Ihre Kehle macht das Geräusch, und sie kann gar nichts dagegen tun. Ganz langsam wird sie wütend. Wie kommt Sascha, wenn er hundertmal ein Zauberer ist, dazu, sie zu köpfen oder zu begnadigen, wie es ihm gefällt. Wenn sie groß ist, wird sie ihn auch fesseln und ihm den dikken Kopf abschneiden, und dann wird er winseln wie ein kleiner Hund. Diese Vorstellung beruhigt sie so weit, daß sie aufstehen und zum Lusthaus gehen kann. Dort sitzen die Großen und rebeln Ribisel in einen Weitling. Mama will Gelee kochen. Eine langweilige Arbeit, bei der man wunde Finger bekommt. Sascha ist auch schon da und liest im Rosenberg. Onkel Otto sagt Saschas Mutter Liebenswürdigkeiten, die wie Honig von seinen hübschen Lippen tropfen. Einmal hebt Tante Wühlmaus den Blick und sagt: »Meta, warum bist du so grün, ist dir nicht gut?« Saschas Augen ruhen kalt und grau auf Metas Gesicht. »Wir sind alle grün, das kommt vom Weinlaub.« Aber Tante Wühlmaus behauptet nichtsahnend, noch nie ein so grünes Kind gesehen zu haben. Mein Gott, gibt es denn nirgendwo ein bißchen Ruhe und Frieden? Nicht einmal, wenn man knapp dem Köpfen entgangen ist. Meta schlüpft aus dem Lusthaus und schleicht ins Haus, die Stiege hinauf, auf nackten Sohlen. Aus der Küche dringt Mamas Stimme, die Nandis verschlafene Fragen beantwortet. Nandi hat es gut; besser, man denkt nicht daran. Schon ist sie in ihrem Zimmer, drückt die Tür hinter sich zu, und gleich darauf liegt sie auf dem Bettvorleger und liest im David Copperfield. Meta vergißt, was geschehen ist, und das Buchstabenmeer schlägt rauschend über ihr zusammen. Ihr Herz schlägt jetzt im kleinen David, und ihre Hand schiebt seine schwarzen Locken aus der Stirn.

Lange Zeit später ruft Mama zum Abendessen. Das Zwitterwesen David-Meta wird grausam auseinandergerissen. David erstarrt zu einem flachen Bildchen, und eine verwirrte, rotwangige Meta stolpert benommen die Stiege hinunter. Eben war sie mitten in einem Gespräch mit Mister Dick, und jetzt muß sie sich zu einem lächerlichen Eierschmarrn begeben. Das Leben ist ein schreckliches Durcheinander. Man sollte sie nicht immer so plötzlich von David trennen. Eines Tages wird sie zwischen den Buchdeckeln bleiben, und eine leere Hülle wird am Tisch sitzen. Möglicherweise wird kein Mensch es bemerken. Dieser Gedanke ist beängstigend.

Erst als sie mit der großen Zehe gegen die Türschwelle stößt, kommt sie schmerzhaft zu sich. Natürlich blutet die Zehe wieder. Sie ist einfach zu lang und dem übrigen Fuß immer ein Stückchen voraus. Aber da Meta diese Zehe von Vater geerbt hat, ist sie geneigt, dieses Übel mit Stolz zu betrachten. Bei Nandi ist die zweite Zehe länger, genau wie bei Mama. Vater hat Meta getröstet und behauptet, daß nur sehr vornehme Menschen so lange Zehen besitzen. Mama und Nandi sind offenbar nicht so vornehm. Dafür können sie nichts, aber man darf sich ruhig ein bißchen erhaben fühlen. Runde Patschfüße kann jeder haben, ein langer, schmaler Fuß hingegen ist wahrscheinlich der geheime Wunschtraum aller Menschen. Sie geben es nur nicht zu. Mama zum Beispiel gäbe ja überhaupt nie etwas zu. Alles hat eine geheime Bedeutung, und wenn man sie erkennen könnte, wäre man weise. »Du hast spitze Knie«, sagt Mama, »wirst wohl nie einen Mann bekommen.« Sie hat natürlich runde Knie. Vater sagt: »Mit spitzen Knien kann man besser laufen.« Das ist entschieden wichtiger. Meta will nicht kochen und nähen, also braucht sie auch keinen Mann. Aber ein kleiner Stachel bleibt doch zurück. Mama sagt manchmal Dinge, die weh tun. Meta muß sich unaufhörlich wappnen dagegen. So tut sie, als mache sie sich nichts daraus, aber sie kann sich nie an Mamas spitze Zunge gewöhnen.

Jetzt wird Metas Zehe mit Jod bestrichen. Die Angst wird gemildert durch die interessanten Begleitumstände. Vater sperrt den Bücherkasten in der Kanzlei auf. Ein heftiger Geruch nach Desinfektionsmitteln schlägt ihr entgegen. Alle Bücher riechen nach Jod und Lysol. Da stehen sie, die Unerreichbaren. In roten Leinendeckeln und mit Golddruck, die Klassiker, die ›Bibliothek der Unterhaltung und des Wissens‹, und alle sind sie streng verboten. Vater hätte sie ihr bestimmt längst gegeben, aber Mama ist nicht dazu zu bewegen. »Vielleicht«, sagt sie, »geb' ich dir zu deinem achten Geburtstag Hauffs Märchen und Lichtenstein. Das heißt, wenn du brav bist bis dahin.« Der Geburtstag will nicht kommen, und mit dem Bravsein hat es auch Schwierigkeiten. So muß sie immer wieder David Copperfield lesen oder die Märchenbücher, die sie längst auswendig kann. Nur das Wilhelm-Busch-Album ist gestattet, dieses böse Buch, in dem die Hunde immer Prügel bekommen. Meta mag es nicht. Sie hat einmal darüber lachen müssen. Es war komisch, wie der Mann den Pudel am Schwanz festgehalten hat, aber das war sehr schlecht von ihr. Sie mag gar nicht daran denken. Sicher hat der Pudel genauso geheult wie Schlankl, wenn er Prügel bekommt.

Geheimnisvoller Lysolduft umnebelt ihren Kopf. Vater wickelt Watte um ein Stäbchen und taucht es in die Jodflasche. So hat man auch beim Regiment alle Krankheiten kuriert. Es tut höllisch weh, aber Meta preßt die Lippen aufeinander und macht keinen Muckser. Was die Männer vom Regiment ausgehalten haben, kann sie auch ertragen. Das wäre ja gelacht. Vater nickt anerkennend und sperrt die Jodflasche wieder zu den Klassikern. Stolz schreitet Meta mit ihrer braunen langen Zehe an den Tisch, wo der Eierschmarrn schon auf sie wartet.

Mama ist mit Nandi ins Dorf gegangen. Berti besucht ihren gescheiten Vater, und Meta sitzt allein auf der Hausbank und hört den Hühnern zu, die eintönige Bemerkungen austauschen. Die Sonne brennt auf ihren Kopf, und wenn sie die Hand auf ihr Haar legt, fühlt es sich heiß an und knistert. Dieses widerspenstige Haar, das sich in keinen Zopf flechten läßt. Mama sagt immer: »Krause Haare, krauser Sinn«, und Meta ärgert sich darüber bis zur Weißglut. Es klingt wie eine harmlose Neckerei, aber wer weiß, was Mama wirklich damit meint. Meta hat nichts dagegen, daß ihr Haar goldblond ist, die Großen scheinen das schön zu finden, aber warum kann es nur nicht so gerade sein wie die Haare der anderen Kinder. Das Kämmen ist eine Qual. Eine Glatze zu haben, wie Vater, muß viel angenehmer sein. Der einzige Trost ist, daß auch sein Haar gelockt war, ehe er es im Krieg verloren hat. Meta ist nicht ganz sicher, daß sie an ihrem Haar unschuldig ist; vielleicht ist es wirklich ihr krauser Sinn, der die Haare lockt und kräuselt. Und wie ist es dann mit Vater? Wer etwas gegen Metas krauses Haar hat, beleidigt damit Vaters Bart. Mama scheint das gar nicht bedacht zu haben. Sie sagt überhaupt immer alles viel zu schnell heraus, was ihr durch den Kopf geht. Sie könnte wirklich einmal bedenken, wie sich das anhört. Fruchtlos, darüber nachzugrübeln. Die Großen verbergen hinter ihren Worten mehr, als sie sagen. Die Wahrheit liegt immer zwischen zwei Sätzen, wenn jene kleine Stille eintritt. Es ist zu anstrengend, immer auf die kleine Stille zu lauschen, um hinter die Dinge zu kommen.

In der Junisonne wird Meta schläfrig. Von der Wiese her schwebt der süße fade Geruch des falschen Schierlings. Seine Blüten sind mit hunderttausend kleinen ziegelroten Käfern bedeckt, die Briefträger heißen. Diese Käfer sind nicht ganz bei Trost; immer setzt sich einer auf den andern und versucht, in sein Hinterteil hineinzukriechen. Seit Tagen bemüht Meta sich, dieses Bürgerkriegs Herr zu werden und die unterdrückten Briefträger von den angriffslustigen zu befreien. Stundenlang geht sie von Blüte zu Blüte und löst vorsichtig die Käfer voneinander. Aber es sind viel zuviel von ihnen, sie haben die ganze Wiese überschwemmt. Meta begreift längst, daß ihr Tun sinnlos ist, aber sie kann nicht einfach zuschauen und fährt unverdrossen in ihrem Hilfswerk fort. Wenigstens ein paar Käfer werden ihr dankbar sein für die Befreiung. Im Küchenkalender steht: »Man muß das Unrecht bekämpfen, wo man es antrifft.« Natürlich spricht sie zu keinem Menschen darüber, das sähe ja aus, als wollte sie prahlen mit ihrer Bravheit.

Während Vater im Lusthaus schläft, hat Meta mindestens hundert Käfer gerettet. Jetzt ist sie müde und spürt die Sonne durch ihr Haar sickern und langsam durch die Knochen dringen. Wenn sie die Augen schließt, sieht sie feurige Blitze in ihrem Kopf hin und her schießen. Vielleicht sollte sie doch in den Schatten gehn. Aber sie ist so schön müde. Die Hühner scharren um sie herum, und ihr einsilbiges Gerede macht sie noch schläfriger. Bald wird ihr Hirn Feuer fangen, und was wird dann geschehen? Unausdenkbar! Vielleicht wird es feurig-flüssig wie Lava aus ihren Ohren quellen. Der Schreck ermuntert sie ein bißchen, und sie rettet sich mit drei Sprüngen unter den Birnbaum.

Wenn doch Vater endlich aufwachte. Sie mag nicht ins Haus gehen, dort gibt es gar nichts als die Uhren, die in jedem Zimmer ticken. Das Haus ist auch eingeschlafen, und nicht einmal Schlankl kümmert sich um sie. Sicher liegt er bei Vater im Lusthaus.

Sie könnte ja auch hinter das Haus gehen, weg aus der Sonnenhitze, aber dort ist es unheimlich, wenn man allein ist. Unter den Brettern, die vom Haus zum Keller führen, hausen die Asseln und Regenwürmer neben langen, bleichen Wurzeltrieben. Das kommt davon, daß dort so viel Blut in den Boden sickert, Schweineblut, Hirsch- und Rehblut; davon werden die Würmer so fett. Es ist besser, man denkt nicht an das viele Blut.

Warum nur Vater nicht wach wird. Er zieht sich einfach nach Rußland zurück und läßt Meta ganz allein in der Stille unter der flirrenden Sonne. Sie wird versuchen, ihn wachzuzaubern. Die Hände zu Fäusten geballt, daß die Nägel tief ins Fleisch dringen, hält sie den Atem an und wartet. Sie wartet, bis ihr Kopf ganz voll Blut ist und sie den Schmerz in den Händen nicht mehr spürt, dann öffnet sie langsam die Augen und atmet aus. Und siehe, der Vater tritt aus dem Lusthaus und blinzelt geblendet ins grelle Licht. Er ist wieder da, und die lähmende Stille wird von seiner tiefen Stimme zerschlagen. Meta läuft zu ihm hin, und Hand in Hand gehen sie ins Haus, das sich erwachend streckt und in allen Fugen knistert und knackt. Sie betreten die Speisekammer, und Meta schaudert, denn es ist da so kalt, daß die Steinwände schwitzen. Auf den Regalen an der Wand liegen und stehen die guten Sachen: Geselchtes, gelbe Butterstriezel, Mehlspeisen, Marmeladen und Gelees in allen Farben, Honig und Gewürzgurken. Aber Vater ist auf besondere Genüsse aus; er holt sich Schweineschmalz und Zwiebel. Das ißt er auf schwarzem Brot, und dazu trinkt er kalten Most. Meta darf ausnahmsweise auch daran nippen und muß plötzlich immerzu reden und lachen. Bewundernd sieht sie, wie Vaters Wangen sich röten und seine Augen blaue Blitze sprühen. Sie ist sehr stolz auf ihn, welches andere Kind hat schon einen derartigen Vater. Jetzt singt er sogar ganz laut und unbekümmert; ein Lied, in dem der Teufel aufgefordert wird, den Grafen zu holen. Meta erkundigt sich interessiert, von welchem Grafen die Rede ist, und Vater unterbricht seinen Gesang und erzählt ihr vom Grafen Herberstorff, der ein rechter Leuteschinder gewesen ist. Meta stellt sich entschlossen auf die Seite der aufständischen Bauern und rückt mit Stephan Fadinger gegen das alte Schloß Linz. Und ebenso laut wie Vater fordert sie den Teufel auf, den Grafen endlich zu holen. Das ist wirklich einmal ein Lied nach ihrem Herzen. Auf geht's mit Morgenstern und Mistgabel gegen den bösen Herberstorff. Vater schlägt den Takt auf dem Tisch, und Schlankl rast, angefeuert von den wilden Gesängen, rund ums Haus und apportiert einen großen Stein, der von Vater zu einer Geschützkugel der Kaiserlichen ernannt wird. Endlich erklärt sich der Graf besiegt; Vater gewährt den Bauern volle Freiheit und zündet sich seine Pfeife an. Meta möchte mehr wissen von den Bauernkriegen, und zu ihrer größten Enttäuschung stellt sich heraus, daß in Wirklichkeit der böse Herberstorff gesiegt hat und die Bauern hingerichtet worden sind. Und was am schlimmsten an der Sache ist, Vater behauptet plötzlich, die Bauern wären auch nicht gerade die Feinsten gewesen, sondern ein fürchterlich roher Haufen. Was soll Meta davon halten? Sie hat jetzt genug von den Bauernkriegen, die, wie alle ganz wahren Geschichten, sehr bald langweilig werden. Überhaupt mag sie diese Ungewißheit nicht, sie möchte sich aus ganzem Herzen für eine Sache begeistern können. Vater kann das leider sehr selten, Mama kann es, aber sie begeistert sich nur für Dinge, denen Meta nichts abgewinnen kann. Am besten wird es sein, wenn sie mit Vater zum Regiment zurückkehrt. Dort warten keine Enttäuschungen auf sie.

Vater zieht heftig an seiner Pfeife und beginnt seinen Faden zu spinnen. Heute führt er Meta einmal nach Italien. Das Regiment marschiert über glutheiße Straßen, vorbei an zerschossenen weißen Häusern, und weil es sonst gar zu trübselig aussähe, singt es. Und was singt das Regiment? Man sollte es nicht für möglich halten. Meta wundert sich sehr und läßt sich das Lied ein zweites und ein drittes Mal vorsingen. Und Vater erhebt seine orgelnde Stimme immer wieder:

»Unser Katz' hat Katzerl g'habt
siebene, achte, neune.
Eins, das hat kein Schwanzerl g'habt,
steck ma's wieder eini.«

Und jetzt fällt Meta als Chor ein:

»Doch der Kater spricht:
Nein, das duld' ich nicht,
morgen kommt die Katz'
vors Bezirksgericht.«

Die Italiener an den kalkweißen Hauswänden reißen Augen und Ohren auf vor Staunen, das Regiment hat ein paar sehr schöne Stimmen; und manche von ihnen entblößen die Häupter, weil das Lied so feierlich klingt. Meta möchte Vater auffordern, es noch einmal zu singen, als plötzlich ein Schatten über die Schwelle fällt und Mamas Stimme sagt: »Euch zwei kann man wirklich nicht allein lassen. Ein noch dümmeres Lied habt ihr nicht gefunden.« Meta ist gekränkt. Sie kann nicht leiden, wenn man sie überrascht und erschreckt. So schlüpft sie aus dem Lusthaus und beugt sich über Nandi, der schläfrig in seinem Sportwagen sitzt und sich die Augen reibt. Schlankl wirft Meta den letzten Stein vor die Füße und trabt hinter Mama ins Haus, aber der Nachmittag ist vorüber, und die Luft ist einen Hauch kühler geworden.

Es wird ein ganz gewöhnlicher Abend daraus. Vater unterhält sich mit Mama über Leute, die Meta nicht kennt. Man merkt gar nicht, daß er noch vor zwei Stunden wilde Lieder gesungen hat. Man könnte glauben, es habe diesen Nachmittag überhaupt nicht gegeben: die wühlende Sonne auf ihrem Kopf, die Stille auf dem Hof, Stephan Fadinger und die staunenden Italiener in dem weißen Dorf. Aber Meta läßt sich nicht täuschen, wenn die Großen auch manchmal den Anschein von Dummköpfen erwecken, die auf der Stelle alles vergessen, sie glaubt es nicht. Sie verstellen sich nur. Gott weiß, warum. Sie sind ja groß und müssen nicht erklären, warum sie etwas tun oder nicht tun. Nandi läßt sich faul von Mama füttern, und Schlankl scheint etwas auf dem Herzen zu haben, denn er schaut mit dunklem, kummervollem Blick zu Meta auf. Er ist zehnmal klüger als Nandi und muß als Hund umherlaufen und Prügel einstecken, nur weil er nicht reden kann. Dabei versteht er jedes Wort, das gesprochen wird. Wenn Meta bestraft worden ist, setzt sie sich auf ihren Schemel in einen dunklen Winkel und brütet über dem Unrecht, das man ihr angetan hat, und nach einer Weile kommt Schlankl, legt den Kopf auf ihre Knie und schleckt ihr tröstend die Hand ab.

Nandi würde das nicht im Traum einfallen, er sitzt bei Mama in der Küche und läßt es sich gut gehen. Aber der winzige Groll in Meta erlischt bei seinem Anblick: eine rote Wange, eine blasse Wange, dunkelblaue Augen und die sanfte Pagenfrisur. Sie kann Nandi nicht böse sein. Wie gut, daß es ihn überhaupt gibt. Von Tag zu Tag wird er größer, und einmal wird er ein richtiger Spielkamerad sein. Denn was Meta fehlt, ist ein Kind, mit dem sie spielen kann. Manchmal verwandelt sich Vater für eine Stunde in dieses Kind, aber er hat viel zuwenig Zeit; und Schlankl kann dieses Kind nicht sein, weil er nicht reden kann. Im Traum können sie alle reden, Schlankl, die Kühe, Katzen und Hühner. Wenn Meta aber erwacht, sinken sie zurück in ihre traurige Stummheit. Man müßte etwas tun, um sie davon zu erlösen.

Eines Tages wird Meta etwas erfinden, eine Zauberformel, und ein großes Jubelkonzert wird anheben unter den Geschöpfen, von den Briefträgerkäfern angefangen bis zu den wilden Elefanten. Meta wird auf einem singenden Löwen durch alle Länder reiten und geliebt und geehrt sein. Wenn man groß, gelehrt und etwas Besonderes ist, kann es ja gar nicht so schwierig sein, diese Formel zu finden. Groß und gelehrt muß sie noch werden, daß sie etwas Besonderes ist, weiß sie längst. Nur die Großen haben es noch nicht gemerkt. Schlankl weiß, was Meta vorhat, sie hat es ihm oft erzählt. Und wie er sich auf den Tag der Erlösung freut! Es müßte nur bald geschehen, ehe irgendein Bauer oder Wilddieb ihn erschießt. Das Leben der Jagdhunde ist kurz; alle enden sie, ›irrtümlich‹ erschossen, im Wald verscharrt unter feuchten Buchenblättern. Es ist ungerecht, daß die toten Tiere nichts mehr von Metas Erfindung haben sollen. Mit einer einzigen Zauberformel wird es wohl nicht getan sein. Schon wieder tut Meta der Kopf weh, wie immer, wenn sie an ihre große Erfindung denkt. Ihr Gehirn ist offenbar noch nicht stark genug für derlei Zauberkünste.

Das Gespräch um den Tisch rieselt an ihr ab, ein

Geräusch, das sie gerade noch mit dem äußersten Hirnwinkel wahrnimmt; ferne Begleitmusik zu ihren verwegenen Träumen. »Du ißt schon wieder nicht«, sagt Mama und zerrt sie an den Haaren. Meta ist so wütend, daß sie Mama anspringen möchte. Wer wagt es, ihr mit Essen zu kommen, wenn sie mit großen Erfindungen beschäftigt ist. Nie wird sie ihr Ziel erreichen, weil man sie nie in Ruhe läßt. »Zornbinkel«, sagt Mama, »man wird dich doch noch anrühren dürfen!« Nein, kein Mensch hat das Recht, Meta anzurühren, ohne sie zu fragen, ob es ihr angenehm ist. Sie hat große Lust, den Teller an die Wand zu schmettern, nur Vaters Anwesenheit hält sie davon zurück. Aber wie schwer es ist, die Wut hinunterzuwürgen. Da liegt sie als schwarzes Knäuel in ihrem Bauch. Jetzt könnte sie erst recht keinen Bissen essen.

Plötzlich geschieht ein Wunder: Mama beugt sich über sie und legt ihre Wange ganz leicht an die ihre. Eine sehr alte Erinnerung streift das Kind. Einmal war es immer so: Mamas blasse Wange an der ihren, der vertraute sanfte Duft, Ruhe, Stille und Daheimsein. Schon ist es vorbei. Eben war da noch etwas Wunderbares und Süßes, aber Meta kann es nicht mehr finden. Mit einem Schlag ist sie todmüde und läßt sich widerspruchslos zu Bett schicken.

Hinter dem Haus ist ein böser Ort. Dort, wo fast immer Schatten liegt, wächst das Gras fett und dunkelgrün. Das kommt vom vielen Blut. Im Herbst und im Frühling wird an dieser Stelle das Schwein geschlachtet. Ein hagerer, grobknochiger Bauer besorgt das. Meta hält nicht viel von ihm, denn das Schwein schreit immer sehr lange. Die Kinder dürfen nicht zuschauen, aber es gibt keinen Platz im Haus, wo man das erbärmliche Geschrei nicht hören müßte.

Ein halbes Jahr lang war das Schwein ein liebes Tier, dem man Leckerbissen zugesteckt hat und das immer von Berti gestriegelt worden ist. Wenn es krank war, hat Mama es gepflegt wie ein Kind. Jeder hat das Schwein gern, es ist so hübsch rosarot und lustig und grunzt, wenn man seinen feuchten, warmen Rüssel kratzt. Plötzlich, über Nacht, wird das Schwein zum Tod verurteilt und dem Schlächter ausgeliefert. Und da gibt es keine Gnade. Es wird aus dem Stall gezerrt, und der Schlächter stößt ihm sein langes blaues Messer in den Hals. Berti steht mit einer Schüssel daneben und fängt das Blut auf. Dann wird das tote Tier in den Trog geworfen, abgebrüht und später an den Beinen aufgehängt und zerstückelt. Sobald das Schwein im Trog liegt, dürfen die Kinder wieder zuschauen, denn was da liegt, ist nicht mehr das liebe Schwein, sondern ein Fett- und Fleischklumpen. Das ist alles ganz unfaßbar. Wohin ist das Leben aus dem Schwein gegangen? Die blaßroten Fleischstücke erinnern nicht mehr an das lustige quiekende Geschöpf, dem Meta den Rüssel gestreichelt hat. Während die hohen gellenden Todesschreie durch das Haus dringen, sitzt Meta in ihrem Zimmer und hält sich die Ohren zu. Aber es nützt nichts, der verzweifelte Hilferuf dringt in ihr Hirn. Sie weiß, jetzt geschieht das Entsetzliche, das man nie mehr gutmachen kann, der Verrat, das zutiefst Böse. Dunkelheit breitet sich in ihr aus in der Stille, die nun folgt. Alles ist geschehen und nicht zu ändern.

Zögernd betritt Meta die Schlachtstätte und gesellt sich zu den Verrätern. Mama ist gereizt, kein Wunder, sie muß ja daneben stehen und alles mit anschauen. Sie darf nicht hinzuspringen, dem Schlächter das Messer aus der Hand reißen und es ihm in den Hals stoßen. Keine Rede davon. Kein Mensch krümmt ihm ein Haar, er bekommt sogar eine gute Jause und ein Glas Schnaps für seine Untat. Der Keller und die Küche quellen über von Fleisch. Vater sitzt in der Küche, die grüne Leinenschürze vor den Bauch gebunden, und schneidet Speck in kleine Würfel. Mama rührt in der Abwasch Blut für die Würste. Trog und Gestell, an dem das Schwein gehangen hat, sind verschwunden, und nur Schlankl und der Schlächterhund würgen an ein paar blutigen Fleischfetzen. Berti und die Moser tragen ein Schaff voll Gedärme zum Bach und reinigen sie vom Unrat, bis das eiskalte Wasser nur schlaffe weiße Bänder zurückläßt. Eine Wolke von Gestank umhüllt die beiden Frauen. Meta bedenkt, daß sie innen genauso aussieht wie das Schwein und wohl auch nicht besser riecht. Keine Ursache, hochmütig über ein totes Schwein zu denken. Sie geht wieder zurück ins Haus, aber dort herrscht der Blutgeruch und legt sich süßlich und dick auf ihren Gaumen. Alle haben genug von ihm. Mama ist blaß vor Ekel, sie ist so empfindlich gegen Gerüche. Aber sie beklagt sich nicht. Nach dem Schlachten muß alles rasch aufgearbeitet werden, ehe die Fliegenschwärme ihren Weg zum Fleisch finden. Die Blutlachen hinter dem Haus glitzern ohnedies schon von blauen, schwirrenden Flügeln.

Am Abend haben sich alle wieder erholt und essen Hirn mit Ei und geröstete Leber. Nur Mama ißt heute kein Fleisch. Im Lauf der Woche verwandelt sich das ehedem liebe Schwein, das kurze Zeit ein schrecklicher Fleischhaufen gewesen ist, in appetitliche Mahlzeiten: Blut- und Leberwürste, Krenfleisch und knusprige

Braten. Meta geht Schlankl ein paar Tage aus dem Weg, weil er gar so gierig geschlungen hat. Aber sie sieht ein, daß sie ihm unrecht tut. Warum sollte er weniger schnell vergessen als die Menschen. Außerdem war es ja nicht sein liebes Schwein, und er hat ihm auch niemals den Rüssel gestreichelt.

Hinter dem Haus ist die Erde jetzt bräunlich, und im Sommer wird das Gras dort üppig und blaugrün stehen. Meta erzählt Nandi, daß das Schwein jetzt im Himmel ist, seine Seele natürlich nur, die man nicht sehen kann. Sie weiß, das ist eine Lüge; auf dieses Todesröcheln kann kein Himmel folgen. Das ist etwas ganz und gar Endgültiges. Aber Nandi soll es nicht wissen. Selbst Mama wagt es nicht, diesen ketzerischen Ansichten entgegenzutreten. Sie denkt wohl, Nandi ist ohnedies noch zu jung, um die feinen Unterschiede zwischen Menschen- und Schweineseele verstehen zu können. Meta hegt den Verdacht, daß Nandi weicher und verletzbarer ist als sie, und tut alles, um ihm derartige Schrecken zu ersparen. Was für ein Glück, er scheint noch nicht ganz wach zu sein. Meta kann sich nicht erinnern, jemals so verschlafen gewesen zu sein. Sie hat von jeher alles gewußt, und sie erinnert sich an Dinge, an die sie sich, laut Mama, unmöglich erinnern kann. Vielleicht hat sie davon reden gehört. Aber Meta glaubt es nicht. Es gibt auch Erinnerungen an Erinnerungen, aber sie kann das sehr gut unterscheiden. Die echten Erinnerungen sind voll Farbe und Duft, und die falschen, die sie erst in ihrem Kopf neu erwecken muß, sehen aus wie Bilder aus dem Fotoalbum, grau und schattenhaft. Nandi scheint noch keine Erinnerungen zu haben. Meta muß achtgeben, daß keine bösen Bilder in seinem Kopf entstehen. Manchmal fühlt sie sich uralt gegen den vier Jahre jüngeren, gebeugt von einer riesigen Last alter Bilder, die sie Tag und Nacht mit sich schleppen muß.

Und wieder gibt es fette Zeiten für den bösen Ort hinter dem Haus. Nach den großen Jagden liegen die Hirsche und Rehe in einer langen Reihe hingestreckt vor dem Keller.

Meta mag die Jäger nicht; ihr dummes, brüllendes Gelächter und die endlosen Geschichten, die sie erzählen. Was für Prahlereien um einen einzigen Hirsch, den sie endlich aus dem Hinterhalt abgeknallt haben. Sie sitzen in der Stube und trinken, und ihre Stimmen hallen durch das ganze Haus. Und sie riechen sehr schlecht nach verschwitztem Gewand. Ihre Köpfe werden immer röter, ihre Stimmen immer lauter, und bald wird man vor Rauch ihre Gesichter nicht mehr sehen.

Und hinter dem Haus liegen langgestreckt und kalt die schönen Opfer. Sie sind ganz still, und das Blut an ihren Äsern ist zu braunen Krusten getrocknet. Meta sieht, daß Vater die Jäger ein wenig verachtet. Er gehört nur ganz oberflächlich durch seinen Beruf zu ihnen. Er scherzt mit ihnen und trinkt auch einmal ein Glas Wein, aber seine Augen sehen durch sie hindurch und bleiben kühl und gelassen. Sie begreift, es ist einfach seine Pflicht, dort drinnen zu sitzen und sich das Gelächter anzuhören. Vater ist ein guter Schütze, aber kein Jäger. Irgend etwas fehlt ihm dazu. Was ist er aber wirklich? Bestimmt wäre er höchst verwundert, wüßte er, daß seine Tochter über ihn nachdenkt. Und wie genau sie ihn beobachtet, immer mit dem beschämenden Gefühl, daß es nicht ganz in Ordnung ist. Um Vater herum sind immer ein paar Meter Luft, die man nicht durchdringen kann. Er ist sehr anziehend, auch das entgeht ihr nicht. Sie sieht, wie alle Leute sich in seine Nähe drängen. Aber es scheint ihn gar nicht zu freuen, vielleicht bemerkt er es nicht einmal. Alles, was er sagt und tut, ist wie ein Spiel, in dem er einen Zug voraus weiß, den die andern noch nicht wissen. Aber wenn sie dann weggegangen sind, ist sein Gesicht fast hager vor Anstrengung, und seine Augen blicken starr. Eine Wolke von Kälte und Überdruß liegt um ihn, und er sperrt sich stundenlang in der Kanzlei ein. Nein, eigentlich mag Vater die Menschen nicht. Er kann ein liebenswürdiger, heiterer Gesellschafter sein, aber lieber geht er in den Wald, sitzt allein in der Kanzlei oder schläft im Lusthaus.

Was denkt er, wenn er tagelang mit dem Hund unterwegs ist? Meta vermutet, er denkt an früher, an den Schloßpark, den Großvater und die Brüder, zwanzigtausend Meilen unter dem Meer, und an Rußland und das Regiment. In seine Erinnerungen gehüllt, geht er leichtfüßig durch den Wald, den Hund an der Seite, allein und glücklich. Es tut weh, zu wissen, daß er auf seinen Wegen nicht an Meta denkt, aber damit muß sie sich abfinden.

Mama, die gerne unter Menschen ist, hat mit den Jägern auch nicht viel Freude. Sie gehen mit ihren dreckigen Schuhen überall hin und hinterlassen große Wasserpfützen. Berti muß dauernd hinter ihnen den Boden aufwischen. Sie tut es mit schnippisch zusammengepreßten Lippen. Wirklich, kein Mensch scheint die Jäger zu mögen, außer sie selber. Einer von ihnen ist ja zu ertragen, sogar seine Geschichte, die ewig gleiche Geschichte, wie habe ich, der große Jäger, den Hirsch, das Reh, die Gams überlistet. Mama ist ein bißchen hin und her gerissen zwischen Familientradition und Abscheu. Sie stammt aus einer berüchtigt schießwütigen Familie. Vaters wortloser Spott hat sie ein wenig unsicher gemacht. Manchmal sieht sie jetzt schon die Dinge mit seinen Augen, dann ärgert sie sich und ist böse auf ihn. Sie hat übrigens wirklich keinen Grund, sich über die Jäger zu freuen, die nur Schmutz und Pfeifengestank ins Haus bringen und eine Menge Arbeit für sie und Berti.

Später zerwirken Vater und der Adjunkt das Wild hinter dem Haus, eine häßliche Arbeit, die aber getan werden muß. Jetzt sind sie seltsam nackt und bläulich, die einst so schön im braunen Fell spaziert sind. Wie kunstvoll und zierlich das alles gemacht ist! Wie die Muskelstränge bei den Gelenken zusammenlaufen und die Sehnen wie Perlmutter schimmern. Aber die Hirsche und Rehe mit ihren großen feuchten Augen tragen schreckliche Wesen in sich. Der Adjunkt schneidet eine Schädeldecke durch, und da, in Rachen und Nasenhöhlen, liegen weißglänzende riesige Maden. Vater sagt, das sind die Kinder der Rachenbremse. Jetzt ist Meta froh, daß das Reh tot ist. Wie hat es nur leben können mit diesen Engerlingen im Kopf. Aber wenn sie einen Augenblick vergißt, was diese Dinger sind, sehen sie gar nicht häßlich aus, wie weiße Wickelkinder in einer blutroten Wiege. Meta schwankt zwischen Grausen und Bewunderung. Da räumt der Adjunkt mit dem Knicker die Wickelkinder heraus, und die Hennen pikken sie freudig auf. Meta fällt endgültig in Grausen zurück und flüchtet in die Küche. Dort beschließt sie, alles zu vergessen, und ist sogleich sicher, daß sie es erst recht nicht vergessen kann. Das tote Reh verfolgt sie. Jetzt bringt der Adjunkt auf einem Teller das Hirn herein. »Damit hat das Reh gedacht«, sagt Mama und:

»Dein Hirn schaut auch nicht viel anders aus.« Das Ganze ist ein großes Geheimnis; wie denkt man überhaupt? Kein Mensch kann Meta das erklären, und sie beschließt, es später einmal zu erforschen. Aber da kommt schon Vater mit dem Rehschädel in die Küche und stellt ihn mitsamt dem Geweih in einem alten Kochtopf auf den Herd. Er lächelt ein wenig schuldbewußt und schaut, daß er aus der Küche entwischt, ehe Mama zu Wort kommt. Mama ist wütend. Der Geruch ist auch wirklich abscheulich. Meta ist ganz ihrer Meinung, aber sie wagt es nicht, sie anzusprechen, sie würde jetzt doch nur jedes Wort als Frechheit auffassen. Wenn der Schädel lange genug gekocht hat, kommt der Adjunkt und holt ihn. Dann schabt er das Fleisch von den Knochen, und heraus kommt das weiße Stirnblatt mit dem Geweih darüber. Später einmal wird der Adjunkt ein Schild schnitzen, das Stirnblatt mit Datum und Schußort bezeichnen und es an die Wand hängen. Dabei ist ohnedies das ganze Haus schon voll Geweihen. Mama ärgert sich, weil sie so viel Staub wischen muß. Meta weiß nie, ob Vater sich über diese Trophäen freut. Vielleicht findet er, ein Forsthaus ohne Geweihe sähe doch zu merkwürdig aus.

Einmal kommt die Rede auf schöne Möbel, und Vater meint, er für seine Person brauche nichts zum Leben als einen Schreibtisch, einen Sessel, das Sofa aus dem Lusthaus, manchmal ein Buch, Tabak und Essen. Meta muß ihm recht geben. Alles andere kann man sich ja ausdenken, wenn man Lust dazu hat. Aber Mama wünscht sich schöne, geschnitzte Möbel, seidene Vorhänge und Bettdecken und teure Ölbilder an den Wänden.

Meta fällt in einen neuen Traum. Sie zaubert für Mama ein Schloß mit geschnitzten Möbeln, Samt und Seidenkleider, goldene Ketten und eine Uhr mit Brillanten darauf. Nichts ist ihr zu kostbar für Mama. Sie selber wird mit Vater in einem Gartenhaus im Park wohnen, das alte Sofa und ihr Bett mitnehmen, die Pfeifen, den lysolstinkenden Bücherkasten und den Schreibtisch. Und sie werden es ganz wunderbar haben, ohne Teppiche und Bilder, die nur beim Nachdenken stören. Vater wird jeden Abend zehn Gläser schwarzen Tee trinken und von Rußland und dem Regiment erzählen. Nandi wird wohl besser bei Mama bleiben. Er ist ja noch so klein, außerdem scheint er Mamas Hang zu schönen Dingen geerbt zu haben. Aber bei Tag kann Meta ja mit ihm im Park spielen. Und natürlich wird man einander besuchen. Es wird auf diese Weise niemals Streit geben. Alle werden glücklich sein. Tagelang geht Meta benommen und schweigsam umher, schmeckt nicht, was sie ißt, und hört nicht, wenn man zu ihr spricht. Bis der Traum schwächer und schwächer wird, endlich stirbt und eine unglückliche Meta zurückläßt, die sich nirgendwo auf der Welt daheim fühlt.

Nach den Jagden muß man wochenlang Wildfleisch essen. Mama graust schon davor, schon der Geruch macht sie nervös. Trotzdem brät und kocht sie den ganzen Tag, eine wahre Märtyrerin der Küche. Endlich ist alles vertilgt, und man kehrt aufatmend zu Strudeln, Knödeln und Nockerln zurück. Selten ist Mama eine ruhige Zeit gegönnt. Im November muß sie ja schon mit der Weihnachtsbäckerei anfangen. Sechsunddreißig Sorten Gebäck, Torten, Striezeln und Gugelhupf nicht gerechnet, müssen hergestellt werden, denn mindestens so viel hat die traurige kleine Großmutter immer gebacken. Meta hat längst entdeckt, daß Mama um keinen Preis hinter der Großmutter zurückstehen will. Es beginnt damit, daß die große Kiste aus der Stadt kommt. Meta und Nandi verfolgen aufgeregt das Auspacken der Herrlichkeiten. Da gibt es Schokolade, Mandeln, Nüsse, Rosinen und Zibeben, Arancini, Pignoli, Zitronat, duftende Vanillestangen, Pistazien, Zimt und Nelken. Und jedes Jahr ein kleines Faß Salzheringe, die der Vater nach all den Süßigkeiten zu den Feiertagen schätzt. Wochenlang brennt das Feuer im Herd von früh bis abends, und die Bäckereien werden im Fremdenzimmer versteckt. Nandi weicht keinen Augenblick aus der Küche. Er macht sich sogar nützlich, schält eingeweichte Mandeln und siebt den Staubzucker. Meta mag zwar den süßen Geruch, und sie schnappt sich auch hin und wieder einen Keks, aber im Grund langweilt sie die übertriebene Geschäftigkeit.

Sie klopft bescheiden an die Kanzleitür und wartet, bis Vaters »Herein« ertönt. Ja, sie darf bleiben und sich mit einem Buch auf den Diwan legen. Endlich hat Meta erreicht, daß sie die Klassiker lesen darf, nach Hauffs Märchen hat Mama den letzten Widerstand aufgegeben, um endlich Ruhe zu haben. Die Klassiker sind eine wunderbare Einrichtung, sie machen bloßes Lesen zu einer angesehenen, nützlichen Beschäftigung. Meta liest sie alle, wie sie der Reihe nach im Kasten stehen. Ihr ist alles eins, Dramen, Erzählungen, Gedichte und Tagebücher, philosophische Schriften und die Hamburgische Dramaturgie. Alles, was sonst noch im Bücherkasten steht, bleibt ihr verschlossen. Und David Copperfield ist schon lange kein Buch mehr, sondern eine vertraute Gegend, in die sie sich immer wieder begibt, um ihre alten Freunde zu besuchen. Mama ist übrigens nur ganz oberflächlich gebändigt, sie macht immer wieder Ausfälle, um wenigstens Heinrich Heine zurückzuerobern und einzusperren. Da er aber ohne Zweifel ein Klassiker ist und einen roten Deckel mit Golddruck hat, gibt es für sie keinen triftigen Grund, ihn zu verwerfen. Aber sie mißtraut ihm sehr, und wüßte sie nicht, daß er ein großer Dichter war, sie hielte ihn für einen sittenlosen, frivolen Burschen. Ein Grund mehr für Meta, sich Heines besonders anzunehmen. Sie hat eine Schwäche für sittenlose, frivole Burschen, die ebensosehr wie sie von Mama verfolgt werden. Außerdem ist Heine auch Vaters Liebling, und Meta kennt seine Gedichte schon lange aus ihren nächtlichen Unterhaltungen mit Tante Wühlmaus.

Meta darf nie ein Buch zurückstellen und um ein anderes bitten, ehe sie es nicht ausgelesen hat. Sie kommt auch nie auf die Idee, Mama zu beschwindeln; Bücher sind etwas Heiliges, man darf sie nicht beschmutzen, zerreißen und schon gar nicht ihretwegen lügen. So bekommt sie manche harte Nuß zu knacken, die härteste ist wohl Schiller mit seinen philosophischen Schriften. Ein hartnäckiges Vorurteil gegen die Philosophen bildet sich in ihr. Friedrich Schiller lastet schwer auf ihrem Gemüt. Sie müßte ihn gern haben, weil er ein Klassiker ist, aber sie bringt es einfach nicht fertig. Nach zwei argen Wochen gibt sie erlöst das Buch zurück und schließt am Abend Schiller in ihr Gebet ein. Sie fühlt sich, als habe sie zwei Wochen lang unreife Stachelbeeren gegessen. Jetzt ist ihr übel, aber nicht im Magen, sondern im Kopf. Erst ein langer Besuch bei David und seinen Feinden und Freunden läßt sie Schiller vergessen, und die Übelkeit in ihrem Kopf verschwindet. Der nächste Griff in den Bücherkasten verläuft glücklicher. Heinrich von Kleist steht auf dem roten Deckel, und Meta wundert sich, denn dieser Kleist hat ein Gesicht wie ein Bauernmädchen. Er gehört sichtlich zu den jungen Klassikern, und Meta schließt ihn gleich in ihr Herz, denn, o Glück, alles, was er schreibt, ist durchaus verständlich, und es fällt ihr leicht, sich in den Grafen Wetter vom Strahl zu verwandeln oder in die schöne wilde Penthesilea. An sie denkt Meta oft vor dem Einschlafen, und angstvoller Schwindel befällt sie, denn sie weiß nur zu gut, wie es ist, wenn man alles zerfleischen und zerbeißen möchte. Bisher hat sie sich immer noch im letzten Augenblick vor dem gähnenden Abgrund retten können, aber was geschieht, wenn sie eines Tages die letzte Spur Vernunft im Stich läßt? Sie wird den nächstbesten Menschen anfallen wie ein wildes Tier, und dann muß die Welt untergehen, denn ein Nachher ist unvorstellbar.

Heine, Hauff und Kleist heißen Metas Lieblinge. Im übrigen ist es viel weniger die Handlung, die sie fesselt, als die Fülle der wunderbaren neuen Wörter, die sie jetzt kennenlernt. Was sie bedeuten, ist gar nicht so wichtig, sie fragt auch nur selten danach, so, als könne eine Erklärung den geheimnisvollen Zauber der Wörter zerstören. Einmal liest sie »ein seltsamer Triumph lag in seiner Stimme« und geht einen Tag lang ganz benommen umher. Triumph, Triumph, was für ein dunkles, gewölbtes und stolzes Wort. Sie möchte gar nicht wissen, was es bedeutet. Eines Tages wird es ihr zufallen, wie alles, was sie jetzt nicht weiß, und solange soll das Wort nichts von seinem Zauber einbüßen. Sie ist überzeugt davon, daß man nur die richtigen Wörter aneinanderreihen muß, um ganz neue

Dinge zu erschaffen. Das wissen alle Zauberer, und darauf beruht ihre Macht. Meta will auch gern einmal diese Macht besitzen, aber gleichzeitig hat sie Angst davor und verschiebt die Zauberei auf später. Es könnte ja geschehen, daß sie ein bestimmtes Wort ausspricht und damit ein Ungeheuer erweckt. Dazu ist sie entschieden noch zu schwach und klein. Jetzt ist für sie die Zeit gekommen, die vielen neuen Wörter zu verschlingen. Es war ja immer schon ihr Verlangen, Dinge, die ihr gefallen, zu verschlucken. Lesen ist eine Art, sich die geliebten Dinge einzuverleiben, für die man nicht bestraft werden kann.

Sie liegt auf dem Diwan auf dem Bauch, das Kinn in die Hand gestützt, und liest. Vater rechnet am Schreibtisch, blaue Rauchschleier ziehen um seinen Kopf. Meta wagt eine Frage: »Hast du alle Bücher von Shakespeare gelesen?« – »Natürlich«, sagt Vater, »damals im Frieden, als ich beim Militär war. Aber das ist lange her, und ich hab' so vieles wieder vergessen.« Meta ist beschämt. Sie weiß, er hat die ganzen Klassiker von seinem geringen Sold gekauft, er hat sie sich vom Mund abgespart. Es wäre eine Schande, wollte sie an Shakespeare verzweifeln. Und so stürzt sie sich mit wütendem Eifer in die Geschichte der schrecklichen Richarde. Es ist alles recht unverständlich und von herzzerreißender Schönheit. Sie bekommt heiße Augen vom Lesen. Shakespeare ist der allergrößte Zauberer. Er hat Wörter erfunden, die wie Pfeile aus dem Buch springen und sich in ihren Kopf bohren. Sie lebt in einer alten, rohen Welt, und sie spürt, daß diese Welt sehr wirklich ist. Sie könnte ja Vater fragen, wenn sie etwas nicht versteht, es bleiben ihr ganze Seiten rätselhaft, aber sie tut es nicht. Wer weiß, ob Vater, so gescheit er ist, alles verstanden hat, und sie möchte ihn nicht dazu zwingen, sie anzuschwindeln. Es wäre ein Unrecht an Vater und ein Unrecht an Shakespeare, und sie wird sich hüten, die beiden zu kränken. Und Mama fragt sie schon gar nicht. Die wäre imstand, aus Pflichtbewußtsein Shakespeare zu lesen, und in ihren Augen kann er nur ein wüster Heide sein, der greuliche Wörter gebraucht. Dies wäre sicher das Ende der Klassiker. Wenn Mama nicht so viel kochen und nähen müßte, könnte Meta ohnedies nicht so ungestört lesen. Mama verehrt Bildung und Wissen, aber es ist sicherer, die Klassiker von ihr fernzuhalten. Die roten Bücher verbergen Mord, Totschlag, Raub, Krieg, Schändung und Blutschande. Was ist das überhaupt, Schändung und Blutschande? Sie kann unmöglich danach fragen, denn bestimmt sind das gräßliche Vergehen, von denen sie gar nichts wissen darf. Die Klassiker können sich eben alles erlauben, und das ist ein Glück für Meta; auf diese Weise erfährt sie, wie es im Leben wirklich zugeht. Sie darf ja nicht einmal die Zeitung lesen, es könnte, Gott behüte, etwas über einen Mord drinnen stehen. Mama hat ihr Stifter ans Herz gelegt, Stifter und Grillparzer, aber Meta kann nicht viel mit ihnen anfangen. Stifter zu lesen macht sie immer traurig, er ist so ernst und feierlich und ein wenig langweilig. Nur ein Satz bleibt hängen: »Sture Mure ist tot.« Dieser Satz stürzt sie in Trauer und Verlassenheit. Vor langer Zeit hat Meta den großen Sture Mure gekannt. Es ist so lange her, daß sie sich nicht mehr erinnern kann. Aber sie hätte ihn nicht vergessen dürfen. Und jetzt ist er also tot. Unbegreifliche Schuldgefühle quälen sie. Manchmal ist sie der Wahrheit auf der Spur, und der Kopf tut weh vom Nachdenken. Der große Sture Mure ist tot. Sein Grab liegt irgendwo im Wald, dort, wo jetzt der Schnee in tiefen Wächten liegt und lautlos wächst, höher und höher, bis er an den grauen Himmel stößt.

Die Gespenster sind schon immer dagewesen, aber in letzter Zeit sind sie unmäßig frech geworden. Seit Meta die Märchen von Hauff gelesen hat, kann sie sich ihrer kaum erwehren. Bei Tag, am warmen Ofen, liebt sie die Gespenster. Es gibt sie ja gar nicht wirklich, man kann ruhig über sie lachen; aber je mehr der Tag fortschreitet, desto mehr wächst ihre Macht, und sobald Meta im Bett liegt und das Licht abgedreht hat, zieht sich die Vernunft aus ihrem Hirn zurück und verwandelt sie in ein Bündel dunklen Entsetzens.

Die Nacht verändert die Welt. Das hat Meta schon lange gewußt. Auch sie ist in der Nacht ein ganz fremdes Geschöpf, und die Tag-Meta ist weit fort und unverständlich. Das wissen die Gespenster und kriechen aus ihren Winkeln hervor. Im kleinen Kabinett ist es nicht so schlimm gewesen. Wenn Meta damals aufgeschrien hat, ist Mama an ihr Bett getreten und hat sie getröstet. Nachts ist Mama lieb und geduldig, ganz anders als am Tag. Aber Meta schläft längst nicht mehr im Kabinett. Unbegreiflich, wie dieses Kind gegen sich selber wütet. Mit sieben Jahren hat sie dringend ein anderes Zimmer verlangt, ein Zimmer, in dem sie ganz allein sein kann. Nandi hat das Kabinett bezogen, und Meta ist weit weg von der Familie. Dabei sind es nur zehn Schritte zum Schlafzimmer der Eltern, dazwischen zwei Türen und ein finsterer Abgrund. Niemals flüchtet Meta dorthin, nicht einmal in den schlimmsten Nächten. Die Gespensterheimsuchung ist eine Schande, über die sie nicht reden kann, etwas Böses und Verächtliches, das bestimmt nur ihr allein geschieht. Und so trippelt sie jeden Abend unter Herzklopfen in ihr verhaßtes Zimmer. Um neun Uhr kommt Mama und dreht das Licht ab, und die Nacht bricht herein. Das Lämpchen neben dem Bett hat einen Knopf; wenn man auf ihn drückt, wird es wieder hell. Mama versichert das Meta immer wieder, als ahnte sie etwas von den Ängsten der Tochter.

O liebliches Wunder, aufschreckend aus der Welt der Ungeheuer, naß vor Angstschweiß, tastet sie um sich, drückt auf den Knopf, und es wird licht. Ihr rasender Herzschlag verebbt, und sie liegt ermattet und lang ausgestreckt und wartet, bis die Gespenster sich zurückgezogen haben, hinter den Ofen und in die finsteren Winkel. Dort lauern sie und warten. Sie gehen nicht fort, denn die Nacht gehört ihnen, aber das Licht hält sie in Schach. Hinter dem hohen Kachelofen steht der tote Kapitän mit dem Nagel durch die Stirn und wartet. Dies ist sein Versteck. Er weiß, Meta kann ihm nicht entgehen. Wenn es wieder finster ist, wird er lautlos näher kommen und blind tastend die Hände ausstrecken, während Metas Augen versuchen, die Finsternis zu durchbohren. Manchmal wird sie zornig und flüstert: »Komm nur her, trau dich doch. Ich hab' keine Angst, dich gibt es ja gar nicht.« Dann lacht der tote Kapitän pfeifend durch die Zähne, und Meta weiß, es gibt ihn, es gibt sie alle, die da gesichtslos das Bett umlauern. Nichts hilft, kein Prahlen und kein Gebet. Der liebe Gott ist in der Nacht nicht da, die Nacht gehört dem Bösen. Nie hat es das Sonnenlicht gegeben, nie die süße Vernunft, niemals etwas anderes als die verdammte Schar um ihr Bett, die auf ihre Niederlage wartet. Der Weg ihrer Hand vom Polster zum Lichtknopf erstreckt sich über einen schwarzen gefährlichen Abgrund. Jederzeit kann der Kapitän ihr Handgelenk mit seinen toten Fingern umklammern. Daß er es nicht längst getan hat, ist der reine Hohn. Sie wollen Meta für den größten aller Schrecken aufsparen, für den endgültigen Schrecken, der ihr Herz stillstehen lassen wird. Und dann wird sie tot sein, ein Gespenst unter Gespenstern. Und nie wieder wird sie die Sonne sehen.

Ihr Finger hat den Knopf erreicht, und sie erspäht gerade noch den Schatten des schwarzen Mantels, der hinter dem Ofen verschwindet. Sie schleckt die salzigen Tränen von den Lippen. Wenn sie sehr mutig ist, steht sie auf und schaut hinter den Ofen, unter das Bett und in jeden Winkel. Aber was nützt das. Die Gespenster machen sich unsichtbar und lachen nur über sie. Am schlimmsten ist, daß sich manchmal auch das Haus mit den Feinden verbündet. Es ist zum Verräter geworden, aber Meta liebt es trotzdem. Sie ist ja selber ein Verräter und paßt gut zu diesem verräterischen Haus und zu den Ungeheuern, die es nachts bevölkern. Sie wird eine Zeitlang ins Licht starren und vergeblich versuchen, an freundliche Dinge zu denken; dann muß sie das Licht wieder abdrehen, und in der schwarzen Verlassenheit werden sie alle hervorkriechen und sich um ihr Bett versammeln. Und nach einer Ewigkeit unter dem Starren der toten Augen wird sie vor Erschöpfung einschlafen, das Geschnatter abgründiger Bosheit im Ohr. Aber noch gibt es die Lampe, den kleinen tapferen Freund. Der Haß der Gespenster auf die Lampe ist unsagbar. Sie nagen so lange an Metas Schlaf, bis sie ihren Glauben an die Lampe zerstört haben. Meta träumt: sie liegt im Bett in einer gestaltlosen, klebrigen Schwärze. Die Gespenster sind da und zupfen gierig an der

Bettdecke. Langsam streckt sie die Hand aus und tastet über den Abgrund zur Lampe. Aber die Lampe ist tot. Und unter dem gellenden Gelächter des Feindes weiß Meta, jetzt wird ihr Herz stehenbleiben.

Einmal, das weiß sie genau, wird dieser schlimmste aller Träume wahr werden. Die Lampe wird nicht brennen, und Metas Herz wird aufhören zu schlagen. Ein wenig Hoffnung bleibt, daß sie ganz tot sein wird und ihr nichts mehr geschehen kann, aber viel wahrscheinlicher ist es, daß sie dann selber hinter fremden Öfen kauern muß, hungrig nach lebenden Kindern. So wird es wohl kommen; der liebe Gott will nichts von ihr wissen. Vielleicht sieht er, daß sie böse ist, und hat sie ganz und gar aufgegeben. Sie streckt die Hand aus, die Nacht verschluckt das Licht, und sie wartet starr und gespannt auf die kommenden Schrecken.

Gleich darauf ist es Tag. Meta erwacht. Das Zimmer liegt hell und vertraut vor ihrem Blick. Kein Gedanke an einen toten Kapitän hinter dem Ofen. Wie hat sie nur jemals etwas so Dummes glauben können. Sie lacht und wirft die Decke von sich. Alles ist, wie es sein sollte, von herzbewegender Ordnung und Vernunft. Der Krug ist ein Krug, der Sessel ein Sessel und der Ofen ein freundlicher Wärmespender. Sie könnte schreien vor Freude über das Licht und die schöne Klarheit der Welt.

Bald darauf stehen die Buben vor der Tür und holen sie zur Schule ab. Alles ist gut und fröhlich. Bis das Tageslicht verdämmert. Dann hockt sie in einem Winkel mit Hauffs Märchen. Das Licht brennt und macht die Schatten tiefer und härter. Noch besteht keine Gefahr. Meta ist nicht allein. Kein Gespenst wagt sich in Vaters Nähe. Aber der Abend schreitet weiter, und

Meta ist tief im Tannenwald beim Glasmännlein und beim Holländermichel. Und dann sagt Mama: »Wir haben keinen Zucker mehr; du mußt die Dose nachfüllen, Meta.« Meta könnte ja ›nein‹ sagen. Sie könnte sagen, ich fürchte mich, Mama, geh selber um den Zukker. Aber das ist ganz unmöglich. Sie kann noch zwei Minuten tun, als habe sie nicht gehört, dann muß sie die Dose nehmen und gehen. Vater kann sonst seinen Tee nicht trinken.

Auf der Stiege brennt Licht, und Meta hört noch Stimmen aus der Küche. Sie geht langsam, Stufe für Stufe. Immer schwächer werden die Geräusche aus einer glücklichen Welt, in der die Menschen bei Licht und Wärme versammelt sind. Noch eine Stufe und noch eine Stufe und dann der lange Gang, in dem die beiden Welten ineinanderfließen. Hier gibt die Glühbirne wenig Licht, und der Gang liegt in rötlicher Dämmerung. Aber man könnte, öffnete sich verstohlen eine Tür, mit drei Sprüngen die Stiege erreichen. Das wahre Abenteuer beginnt erst bei der zweiten Stiege, die zum Dachboden und den Mansarden führt. Hier gibt es kein Licht, und Meta muß die Taschenlampe einschalten, die schon fast ausgebrannt ist und jeden Augenblick versagen kann. Dann steht sie vor der schwarzen Eisentür, hinter der die Bösen lauern. Sie muß die Klinke niederdrücken und durch den Türspalt nach dem Schalter tasten. In der staubigen Dämmerung glüht ein roter Punkt. Mama spart immer mit den Glühbirnen. Hinter der Tür steht niemand, niemand, den sie sehen könnte. Es ist totenstill hier oben. Die Mansardentür ist geschlossen, aber hat sich nicht die Klinke bewegt? Und wenn auch, Meta muß durch diese düstere Hölle bis zur Tür, die in die Mehlkammer führt. Dort ist seit

Jahren die Birne ausgebrannt. Der matte Lichtkegel der Taschenlampe wandert ratlos in alle Ecken, über die scheinheiligen Mehltruhen, auf den Kamin und endlich auf die Zuckerkiste. Auf dem Boden kauernd, schaufelt Meta mit zitternden Händen den Zucker in die große Dose. Die Stücke sind scharf und kantig und schneiden in ihre Fingerspitzen, aber sie spürt es nicht. In ihren Ohren pocht rasend das geängstigte Herz, und sie läßt den Blick nicht von der offenen Tür. Jetzt sitzt sie in der Falle. O Ewigkeit des Zuckerschaufelns. Endlich drückt sie die Kiste zu, daß die Mäuse nicht dazukommen. Das würde Mama böse machen. Und jetzt wieder hinaus auf den Gang. Die Dachbodentür starrt ihr leer und glatt entgegen. Dahinter liegt der große finstere Raum, in dem unsagbare Dinge geschehen, von denen sie nichts wissen will. Zurück und das Licht abgedreht, die Eisentür zugeschlagen und hinunter, drei Stufen auf einmal, von der Hölle ins Fegefeuer des sanft erhellten Ganges und dann, gesetzt und mit zitternden Knien, daß niemand sie rennen hört, hinunter ins Licht und zu den Menschen. Blind tastet sie sich am Geländer dahin, die Zuckerdose fest an den Leib gepreßt. Dann heißt es mit Haltung die Küche betreten, die Dose auf den Tisch stellen und sich unauffällig in die Ecke zurückziehen.

Verstohlen und ungläubig blickt sie um sich. Sie schauen alle so warm und lebendig aus, als wüßten sie nicht, woher Meta kommt. Gar nichts hat sich hier ereignet. Sie spüren nicht einmal den Hauch von Kälte, den sie mit sich gebracht hat. Sie kennen das Haus nicht und wissen nicht, was sich dort oben eingenistet hat. Durch ihr Nichtwissen sind sie ein Stück von Meta abgerückt. Es ist ein kleiner, gefährlicher Abgrund, der manchmal ganz verschwindet und dann wieder unüberbrückbar klafft. Dann scheinen Meta ihre Gespräche wie das kindische Geplapper Nandis, töricht und ahnungslos. Aber das ist gut so. Sie sollen nie hinter die Wahrheit kommen. Manchmal hat sie Angst, das Haus könnte auch nach Nandi greifen. Sie läßt ihn nie allein im Finstern, und das ist auch für sie gut. Der Gedanke, ihn beschützen zu müssen, macht sie stark und mutig. Nandi darf nicht von der fremden Welt eingefangen werden. Sie beobachtet ihn genau und atmet auf, als sie sein verschlafenes, zufriedenes Gesicht sieht. Vielleicht hat Nandi einen guten Schutzengel, nicht so einen wie Meta, der sie im Stich gelassen hat. Nicht alle Engel sind gleich gewissenhaft.

Vielleicht wird sie aber gar nicht merken, wenn die Fremden angefangen haben, hinter Nandi herzusein. Dann wird er ebenso schweigen wie sie. Es ist zu gefährlich, darüber zu reden.

Ihr Leben lang wird Meta im Traum Zucker aus der Mehlkammer holen, in einem sich endlos abspulenden Entsetzen.

So schrecklich ist das Haus. Bei Tag gibt es Schutz und Sicherheit und liebt Meta, aber nachts gleitet es zurück in eine ganz andere Zeit und strahlt die Schrekken längst vergangener Tage aus. Dann verwandelt es sich in einen Feind. Der Küchenboden, der so sauber und vertraut aussieht mit seinen gelben Holzbrettern, bedeckt die zugeschüttete Höhle des alten Kellers. Wer weiß, was dort unten geschieht, während in der Küche das freundliche Feuer brennt. Niemand redet von dem alten Keller. Nur manchmal, wenn die Mäuse arg rumoren, es klingt, als würde Geröll hin und her geschoben, sagt Mama, es war dumm, den alten Keller zu-

zuschütten, bestimmt ist er besser gewesen als der Keller im Berg. Mama versteht gar nichts davon. Jene längst verstorbenen Leute werden wohl gewußt haben, was sie tun. Wahrscheinlich haben sie Dinge dort unten entdeckt, die man vergraben hat müssen. Aus ihren Träumen weiß Meta, was dort unter Schutt liegt, ein braunfleckiger Hackstock, in den jetzt die Mäuse Löcher nagen. Auf dunkle Weise hat er etwas zu tun mit der Geschichte vom Machandelbaum: »Meine Mutter, die mich schlacht, mein Vater, der mich aß...« Und hastig rollt Meta im Traum den Schutt wieder über die üble Stätte, bis man sie nicht mehr sehen kann.

Schlankl, der Arme, hat eine unselige Leidenschaft. Von Zeit zu Zeit rennt er von zu Hause weg, und man hört ihn kläffend den Wald durchjagen. Ein Verbrechen für den Hund eines Försters, der ein gutes Beispiel geben sollte. Vater ist ganz unglücklich darüber. Schlankl ist der beste Hund, den er jemals gehabt hat, aber Vater weiß genau, eines Tages wird er nicht mehr nach Hause kommen und irgendwo im Wald liegen. Deshalb muß er ihn nach jedem derartigen Ausflug verprügeln. Es ist nicht zum Aushalten. Vater ist dann den ganzen Tag erbittert und sperrt sich in der Kanzlei ein. Meta leidet mit dem geschlagenen Freund und mit Vater, der so furchtbare Dinge tun muß. Und alles ist vergeblich. Wochenlang bleibt Schlankl daheim, und dann kommt es plötzlich wieder über ihn; er hebt witternd die Nase, seine langen braunen Ohren zucken vor Jagdfieber, wie der Blitz ist er verschwunden, und bald hört man sein helles Kläffen vom Wald herunter. Wenn er nur den Mund halten wollte, aber so hören alle Leute im Tal, was er treibt. Frei und glückselig folgt er dem Ruf, dem er nicht widerstehen kann. Gegen Abend kriecht er dann auf dem Bauch die Wiese herunter und winselt vor Vaters Füßen. Aber die Reue nützt ihm gar nichts, Vater geht seufzend und holt den ledernen Riemen. Es ist entsetzlich; die ganze Familie zittert für Schlankl. Meta möchte mit ihm heulen, drückt sich aber nur leise weinend auf der Stiege herum. Später versucht sie ihn zu trösten, und er leckt winselnd ihre Hand ab. Armer Schlankl, warum kannst du nicht vernünftig sein. Aber tut sie denn nicht auch immerfort Dinge, die sie nicht tun sollte. Sie kennt den Drang, der Schlankl in den Wald treibt, und wäre sie ein Hund, hätten die Bauern sie längst erschossen.

So hocken sie beieinander, blondes tränenfeuchtes Haar an braunes Fell gedrückt.

Und wieder ist Schlankl ausgerissen, zwar nur zu einer kurzen Jagd, aber das ganze Tal kann sein Kläffen hören. Jetzt sitzt er mitten auf der Wiese und bringt den Mut nicht auf, Vater nahe zu kommen. Plötzlich sind ihm die letzten Prügel eingefallen. Wenn Vater ihm entgegengeht, rennt er ein Stück bergan und bleibt traurig im Gras sitzen. Dieses verzweifelte Spiel dauert schon eine halbe Stunde; Vater wird langsam wütend. Wenn Schlankl nicht sofort kommt, wird er die schlimmsten Prügel seines Lebens beziehen. Meta kann es nicht mehr mit ansehen. Sie läuft zu ihm hin, und vor ihr weicht er nicht zurück. Sie ist ja seine Freundin, die er tröstet, wenn sie weint. Aber da ist schon Vater, und Meta begreift erst jetzt, was sie getan hat. Sie hat Schlankl in die Falle gelockt. Vater hat ihn am Halsband und zerrt ihn die Wiese hinunter. Er kann seinen Zorn nicht bremsen, und diesmal ergeht es dem Hund schlecht. Nachher schleppt Schlankl sich ins Ofenloch. Meta ist starr vor Entsetzen. Das hätte Vater nicht tun dürfen. Mama ist in die Küche geflüchtet und schluchzt hinter der vorgehaltenen Hand. Aber Vater ist eben jähzornig, Meta weiß, wie das ist. Schuld ist nur sie, denn sie hat Schlankl eingefangen. Freilich, die Prügel waren unvermeidlich, aber sie hätte wenigstens nichts damit zu tun gehabt. Besser, die Bauern erschießen Schlankl bald, damit er nicht wieder diese jämmerliche Angst ausstehen muß. Was sie getan hat, nennt man Verrat. Sie hat einen Freund verraten. Das läßt sich nie wiedergutmachen. Trostlos allein sitzt sie den ganzen Nachmittag in ihrem Zimmer und mag nicht einmal lesen. Am Abend ärgert sich Vater, als er ihre roten Augen sieht. Meta versteht ihn gut. Er schämt sich, weil er so zornig gewesen ist. Beide sind sie sehr schlecht gewesen, aber Schlankl hat gewußt, was er von Vater erwarten hat müssen, ihr aber hat er vertraut. Er liegt noch immer im Ofenloch und trinkt nur die Milch, die Mama ihm mitleidig hineingeschoben hat. Meta wagt sich gar nicht in seine Nähe.

Die Nacht wird furchtbar. Kein einziges Gespenst kommt heute, nur der Geist eines kleinen Hundes mit langen weichen Ohren. Mit großen feuchten Augen starrt er Meta vorwurfsvoll aus der Dunkelheit an. Ich bin ein Verräter, sagt sie sich, dagegen kann man gar nichts tun. Sie muß das Wissen um ihre Schlechtigkeit ertragen. Ihre Hände liegen auf der Decke, sie mag sich selber nicht anfassen, wer möchte schon einen Verräter berühren. Beim Erwachen liegt sie genauso, wie sie eingeschlafen ist, und fühlt sich müde und zerschlagen. Das ist ganz gut so, wie werden erst Schlankl alle Knochen weh tun.

Aber der scheint über Nacht alles vergessen zu haben, denn er begrüßt sie freudig. Sie wagt nicht, ihn zu streicheln. Hat er nur vergessen, was sie ihm getan hat, oder hat er ihr verziehen? Meta muß zur Schule, und als sie mittags heimkommt, kehrt Vater gerade aus dem Revier zurück. Schlankl rennt einen Schritt hinter ihm her, und alles scheint wieder in Ordnung zu sein. In den nächsten Tagen ist Vater besonders liebevoll zu Schlankl, und daran erkennt Meta, daß er die Sache auch noch nicht vergessen hat. Ist dieser Hund so dumm oder so edel? Meta kann nicht dahinterkommen. Die Wirkung der Prügel dauert diesmal länger an, und alles hofft auf Schlankls vollständige Besserung. Er ist zutraulich wie immer, aber Metas Verrat steht zwischen ihnen. Sie findet ihre Unbefangenheit nicht wieder und traut sich kaum, mit ihm zu spielen.

Und im Sommer sind die großen Prügel vergessen. Schlankl rennt weg und kommt nicht mehr zurück. Der Adjunkt findet ihn erschossen an der Gemeindegrenze. Meta ist fast froh darüber. Nie wieder wird Schlankl Prügel bekommen und vor Angst winseln müssen, und sein Anblick wird sie nicht mehr an ihr Verbrechen erinnern. Sie versucht, ihn zu vergessen, aber es zeigt sich, daß der tote Schlankl schwerer zu übersehen ist als der lebende. Sie lernt dazu: nichts, gar nichts kann einen Verrat ungeschehen machen. Schlankl ist tot, und eines Tages wird auch Meta tot sein, aber die große Wiese weiß alles, und noch in hundert Jahren werden die Apfelbäume einander zuflüstern: hier an dieser Stelle hat Meta ihren Freund Schlankl verraten.

Flüchtig denkt sie daran, ihr Verbrechen zu beichten, und verwirft den Gedanken sofort wieder. Der Herr Pfarrer würde nur sagen, es sei ihre Pflicht gewesen, den Hund festzuhalten. Er hat sich ohnedies schon einmal bei Mama beklagt, daß Metas Gewissen nicht ganz zu stimmen scheint. In Zukunft wird sie sich an den Beichtspiegel halten: Lüge, Zorn und vergessene Gebete. Das muß dem Herrn Pfarrer genügen. Von den wirklichen Verbrechen kann sie offenbar niemand lossprechen.

Ein neuer Hund kommt ins Haus. Er ist noch jung und tappig, aber jetzt schon größer als Schlankl. Waldl heißt der neue Hund. Meta muß ihn gern haben, ob sie will oder nicht, aber ihr Hund bleibt für alle Zeit der krummbeinige Schlankl mit den Kummerfalten auf der Stirn. Sie bemüht sich, nicht zu sehr an Waldl zu hängen, und Mama ist froh darüber. Die Vertraulichkeit zwischen Meta und Schlankl hat ihr so nie gefallen, der Bazillen wegen, die so ein Hund mit sich schleppt. Vielleicht wird Meta endlich vernünftiger. So wenig weiß Mama von ihr. Meta wundert sich darüber, aber sie ist nachsichtiger geworden. Man darf nicht zuviel verlangen, dann kann man nie zuwenig bekommen. Das große Mißverständnis ist ohnedies nicht mehr aufzuhalten. Es genügt, daß Vater ihr seine Geschichten erzählt und Mama manchmal ihre Wange streift. Einmal ist es anders gewesen, aber diese Zeit ist vorbei. Sie wird nie mehr ganz klein sein, voll Hingabe und Vertrauen. Nandi ist jetzt dort, wo sie einmal gewesen ist, und er hält sich lange an jenem vergangenen Ort auf, viel länger als sie. Glücklicher Nandi! Es ist besser, nicht zuviel über die Familie nachzudenken. Immer noch gibt es Freunde, die Meta nicht enttäuschen können: den Birnbaum, die Pfingstrosen, den Stein hinter dem Roßstall und die Bücher. Die Bücher werden immer wichtiger und nehmen immer mehr Platz in ihrem Leben ein. Und wenn sie vom Lesen müde ist und ein bißchen

Zärtlichkeit braucht, geht sie zu ihrem Stein, streichelt ihn und legt rasch die Wange an sein graues, kühles Gesicht. Dann breiten sich Trost und Wärme in ihr aus, und sie kann wieder zu den Büchern zurückkehren.

Manche Leute kommen nur einmal ins Forsthaus, andere immer wieder, wie die vazierenden Jäger. Das sind Forstleute, die aus eigener Schuld ins Unglück geraten sind oder ihren Posten wegen einer Krankheit verloren haben. Die Zeiten sind schlecht, und man muß ihnen helfen. So wandern sie von Forsthaus zu Forsthaus, bleiben eine Weile, essen sich satt und schlafen in guten Betten. Als kleine Gegenleistung erzählen sie Geschichten aus ihrem Leben. Meist sind es jämmerliche kleine Geschichten, die Vater sich nur anhört, weil man einen Unglücklichen nicht zurückweisen darf. Und unglücklich sind sie alle, die Vazierenden. Nie wird über ihre Vergehen gesprochen, aber Meta spürt, daß sie nicht gern gesehen sind. Und sie sind auch nicht liebenswert. Das getarnte Bettlerleben hat sie ganz und gar verbogen und unangenehm gemacht. Einige sind kriecherisch, andere prahlen unmäßig mit Erlebnissen, die ihnen doch kein Mensch glaubt. Keiner freut sich, wenn die Vazierenden kommen, aber irgendwie muß man ihnen weiterhelfen. Das ist schon immer so gewesen und heißt Tradition.

Einmal oder zweimal im Jahr kommt der kleine Herr Schwartz und holt die Wilddecken. Die Leute nennen ihn Binkeljud. Vater sagt, Herr Schwartz ist Fellhändler und zahlt anständig. Man kann sich auf ihn verlassen. Es heißt, er könnte sich längst zur Ruhe setzen, er besitzt eine Villa und schickt seine Frau und seine Tochter jedes Jahr ins Bad. Kein Mensch versteht, warum er immer noch herumzieht in seinem schäbigen schwarzen Mantel, die Fellbündel auf dem Rücken, schwankend unter der Last und so müde, daß er fast auf die Bank unter dem Birnbaum niederfällt. Über das Geschäft wird nur kurz verhandelt. Meta muß einen Krug Most holen, kaltes Rindfleisch und Brot. Der kleine Herr Schwartz beklagt sich bei Vater mit schleppender Stimme, daß die Bauern ihm immer wieder Schweinefleisch vorsetzen und über ihn lachen, wenn er es ablehnen muß. Vater meint, er solle sich nicht kränken, die Bauern halten das eben für lustig. Sie meinen es nicht böse, man darf nicht zuviel von ungebildeten Leuten verlangen. Meta sieht, der kleine Herr Schwartz glaubt ihm nicht, aber er möchte so gerne glauben. Vaters Worte tun ihm gut. Seine geröteten, von weißlichen Wimpern umstandenen Augen sind ein wenig schief auf Vaters blühendes Gesicht gerichtet, und für einen Augenblick schwindet das Mißtrauen aus seinem grämlichen Gesicht. Wer weiß, vielleicht meinen die Bauern es wirklich nicht böse, er kann ja nicht in ihre Herzen schauen. Langsam und vorsichtig ißt er und nippt am Most. Er erzählt Vater leise und traurig von seinem Blasenleiden, das er sich beim Umherstapfen in der Nässe geholt hat. Große Qualen muß er dadurch leiden. Meta starrt ihn erschrocken an, und er lächelt ihr freudlos zu. Es sieht aus, als schnitte er Grimassen. Vater rät ihm, endlich ins Krankenhaus zu gehen, und der kleine Herr Schwartz gerät in Erregung und rechnet ihm vor, was das kosten würde. »Aber Herr Schwartz«, sagt Vater, »Sie können es sich doch leisten, es ist doch bekannt, daß Sie ganz gut gestellt sind.« – »Alles Verleumdung«, behauptet der Fellhändler und spreizt abwehrend die Finger; schließlich muß er doch zugeben, daß er sich eine Kleinigkeit erspart hat, aber sicher nicht für seine alte Blase, die einen derartigen Aufwand nicht wert ist. Waldl kommt, beschnuppert den Fremden und legt sich wohlerzogen unter den Tisch. Herr Schwartz zuckt zurück. Zu viele Hofhunde haben ihn schon gebissen, aber dies ist ja ein braver, schöner Hund. Man merkt, er will etwas Freundliches sagen, um Vater zu erfreuen. Bald darauf wird er schläfrig. Er stützt die Hände auf den Stock und legt das Kinn darauf. Endlich erhebt er sich mühsam, reicht Vater die Hand, schultert sein Bündel und schwankt auf seinem Stock zur Straße. Der lange Mantel, der vom Alter grün schillert, schlägt ihm gegen die Knöchel. Es ist zwar ein warmer Tag, aber er scheint zu frieren, vielleicht kommt das von seinem Blasenleiden.

Vater schaut ihm nach und murmelt: »Armer Teufel!« Meta vergeht vor Neugierde. Warum darf der kleine Herr Schwartz kein Schweinefleisch essen, und was ist ein Jude eigentlich? Vater sagt, die Juden sind Leute, die eine andere Religion haben als wir, und diese Religion verbietet ihm, Schweinefleisch zu essen; es ist also sehr unhöflich, ihm welches vorzusetzen. Meta hat gehört, die Juden haben Christus gekreuzigt, sie müssen also böse sein. Aber Vater sagt, die Christen hätten sich auch nicht immer fein benommen, und der kleine Herr Schwartz habe bestimmt mit der Kreuzigung nichts zu tun gehabt, denn da müßte er ja fast zweitausend Jahre alt sein, und das wäre doch wohl nicht möglich. Das leuchtet Meta ein. Sie möchte gerne wissen, warum die Leute so dumm daherreden. Vater sagt, das ist eine alte und hoffnungslose Geschichte, und dann kommt ein Holzknecht, und Vater muß in die Kanzlei gehen. Meta wird von Mama zum Essen gerufen und vergißt den kleinen Herrn Schwartz.

Im frühen Sommer erscheint der Kraxenmann. Er kommt von ganz weit her. Er ist nicht mehr jung, hat ein trauriges Affengesicht und einen Buckel. Auf diesem Buckel trägt er die Kraxe, ein Gestell mit vielen Schubfächern, in denen er alles mitbringt, was die Leute im Tal brauchen: Zwirn, Knöpfe, Schuhbänder, Stiefelwichse, Kolophonium zum Schweineschlachten, Wetzsteine und hundert andere Sachen. In einem besonderen Fach hat er Ringe und Ketten für die Frauen. Meta möchte einen Ring mit einem roten Stein, aber sie bekommt ihn nicht. Mama sagt, eine Dame trägt nur echten Schmuck, und Kinder brauchen so etwas überhaupt nicht, und später einmal wird sie einen goldenen Ring bekommen mit einem Türkis darauf. Später ist sehr weit weg, und Meta verzichtet schmollend und schweren Herzens. Wenn sie jetzt den Ring nicht haben kann, braucht sie später auch keinen, und eine Dame will sie überhaupt nie werden.

Mama ist immer nur fürs Solide. Auf dem Kirtag rät sie Meta, ihre Groschen in verpackten Waffeln anzulegen und nicht in Lebzelten. An ihnen kleben Tausende Bazillen, und die Erdbeerzuckerln sind rot gefärbt. Lauter Ramsch! Und wie die Wespen an den Schaumrollen nagen, pfui Teufel! Die Rollen sind gar nicht mit Schlagobers gefüllt, sondern mit geschlagenem Eiklar, das man mit Gelatine versteift hat. Gelatine ist aus Fischblasen gemacht, und ob sie, Meta, vielleicht Fischblasen essen möchte? Meta will es nicht, aber es wäre ihr lieber, Mama hätte ihr nichts davon gesagt. Wie falsch und trügerisch die Welt ist! Zuerst lockt sie bunt und glitzert vor Schönheit, dann tut Mama den Mund auf, und alles verwandelt sich in Bazillen und Gelatine. Meta weiß, daß Mama recht hat, aber gerade das kann sie ihr so schwer verzeihen. Traurig reißt sie sich los vom Anblick der wespenumsummten Herrlichkeiten, der Farbenpracht und dem Geschrei der Kinder und trottet verdrossen neben Mama heimzu. Vorbei an den gemähten Wiesen, an den zwei Kirschbäumen und an der kleinen Schlucht, in der die Felsen steil abfallen. Dieser Anblick tröstet sie ein wenig. Mama weiß nicht, daß sie auf dem Schulweg Kirschen und Halmrüben stiehlt und daß sie unter dem Geländer durchschlüpft und in den Felsen klettert. Der Gedanke erwärmt sie auf angenehme Weise. Hier ist die große Freiheit, von der die Großen nichts ahnen. Die Halmrüben werden einfach am Gras abgewischt und samt Millionen Bazillen aufgegessen. Bazillenessen ist ein großer Spaß. Meta fürchtet sich nicht vor ihnen, sie wird auch nie krank davon. Daheim wird jeder Apfel und jedes Salatblatt gewaschen. Meta tut es natürlich nur, wenn Mama in der Nähe ist. Wie Vater darüber denkt, kann sie nur ahnen. Er gibt Mama recht, scheint sich aber nicht um die Bazillen zu kümmern. Jedenfalls vermeidet er nach Möglichkeit, von ihnen zu reden. Meta sieht einmal, wie er ein Stück Brot vom Boden aufhebt, flüchtig abwischt und in den Mund steckt. Mama ist ganz empört darüber. Immer sitzt der Hund unter dem Tisch, diese verdächtige Bazillenbrutanstalt. Aber Vater lacht nur dazu.

Meta bewundert ihn. So muß man mit dem ganzen unsichtbaren Gezücht umgehen, mit Bakterien, Bazillen und Wurmeiern. Weg damit und hinunter in den Magen, wo sie alle vernichtet werden. Aber sie hütet sich, diese Meinung laut werden zu lassen, denn schuld an ihren Verfehlungen ist doch immer nur Vater, weil er ihr ein schlechtes Beispiel gibt.

Auf diese Weise macht Mama die beiden zu Spießgesellen. Vaters Geschichtenerzählen verleitet Meta zum Lügen, und überhaupt wäre sie nicht so ein Fratz, wenn Vater streng zu ihr wäre. Wenn er sie nur ein einziges Mal bestrafen wollte. Aber Vater denkt gar nicht daran. »Verschone mich, bitte schön«, sagt er ärgerlich und geht weg. Wenn Meta es gar zu arg getrieben hat, setzt Mama ihm so lange zu, bis er verspricht, etwas zu unternehmen. Meta wird in die Kanzlei zitiert. Dort spielt sich immer das gleiche ab. Vater sitzt, in eine Rauchwolke gehüllt, am Schreibtisch, und Meta schiebt sich zögernd näher. Sie hat wirklich Angst. Wer weiß, was er tun wird. Er ist jähzornig, und eines Tages wird es ihr ergehen wie dem armen Schlankl. Jeden Augenblick kann ihre Welt untergehen. Vater setzt sein ernstes Gesicht auf und läßt seine großen Augen kühl auf ihr ruhen. »Komm näher«, sagt er, »du bist also frech zu deiner Mutter. Ja, ich kann das gar nicht glauben. Hast du wirklich das und das gesagt?« Meta nickt beklommen, unfähig, in seine Augen hinein zu lügen. »Im Zorn«, flüstert sie, »nur im Zorn.« – »Aha«, sagt Vater. »Der Zorn ist etwas Fürchterliches. Das hast du leider von mir. Kannst du dich denn gar nicht beherrschen? Schau doch, wie klein und blaß Mama ist. Man muß Geduld mit ihr haben. Wie kannst du nur zu einer so kleinen Frau frech sein?« Meta verspricht stockend, sich zu bessern. Sie ist tief gerührt über die kleine blasse Frau, die ihre Mutter ist. Wirklich, nur ein Ungeheuer könnte frech zu ihr sein. Sie kann Vater nur verschwommen sehen. Der zieht ein blaues Taschentuch hervor und läßt sie hineinschneuzen. Das Taschentuch riecht nach Tabak und Vaters Kleidern. »So, und jetzt sind wir wieder gut.« Vater scheint ebenso erleichtert zu sein wie sie. Meta klettert auf sein Knie, darf einmal an der Pfeife ziehen und ist so verlegen, daß sie gar nicht reden kann. Vater weiß nicht, daß sie sich manchmal in die Kanzlei schleicht und an der kalten Pfeife lutscht. »Erzähl mir was«, flüstert sie, und bald hört Mama auf dem Gang das vertraute Gemurmel und Metas zaghaftes Lachen. Wieder nichts! Dieser Mann wird nie seine Tochter verprügeln, wie ihr Vater es getan hat. Sie ruft zum Abendessen, und die beiden erscheinen Hand in Hand, und Vater verkündet mit lauter Stimme, daß Meta sich endgültig bessern wird. Mama sagt sehr kühl: »Man wird ja sehen.« Ihr Blick trifft Meta nicht gerade beruhigend. Mutter und Tochter wissen, daß der Waffenstillstand nicht lange dauern kann. Es ist nicht schön von Mama, Vater in diesen Kleinkrieg hineinzuziehen. Es müßte ihr doch genügen, letzten Endes die Stärkere zu sein. Wer weiß, eines Tages wird Vater sie wirklich für ein Ungeheuer halten. Ein reines Wunder, daß er es nicht längst tut.

Mit der Zeit nimmt der Krieg heftigere Formen an. Und wieder einmal glaubt Meta im nächsten Augenblick zerspringen zu müssen, und sie wirft Mama einen letzten Trumpf an den Kopf. »Wenn ich groß bin«, schreit sie, »werd' ich eine Hetäre und heirate einen alten Lebemann.« Die Hetäre stammt aus den Klassikern, der alte Lebemann aus Mamas eigenem Mund. Jedenfalls hätte sie nichts Schlimmeres sagen können. Mama muß nach Luft schnappen, ehe sie etwas sagen kann. Endlich ist es Meta gelungen, richtig zurückzuschlagen. Aber sie weiß, diese Sache wird furchtbare

Folgen haben. Am Abend, als Vater müde heimkommt und sich zum täglichen Fußbad anschickt, teilt Mama ihm sofort Metas unerhörten Ausspruch mit. Vater sieht ganz entgeistert aus und bestellt Meta zu sich in die Kanzlei. Tiefe Verlegenheit herrscht zwischen Vater und Tochter. »Um Gottes willen«, sagt Vater endlich, nachdem er Meta angestarrt hat, als wäre sie ein sonderbares kleines Tier, »wie kannst du denn so was Blödes sagen. Mama nimmt doch jedes Wort ernst.« Und plötzlich schlägt er die Hände vor das Gesicht und murmelt erstickt: »Eine Hetäre, man sollte es nicht für möglich halten. Woher hast du denn diese Ausdrücke?« Meta stammelt irgend etwas von den Klassikern, aber Vater hört sie gar nicht; erst jetzt merkt sie, daß er hinter den Händen in atemlosen Stößen lacht. Endlich faßt er sich und sagt: »Geh jetzt und bitte Mama halt um Verzeihung. Diesmal kann ich dir wirklich nicht helfen. Die Hetäre mußt du allein ausbaden.« Meta verschwindet aus der Kanzlei und entschuldigt sich bei Mama, aber diesmal hat sie kein Mitleid mit der blassen kleinen Frau. Diese Geschichte hätte Mama nicht weitererzählen dürfen. Meta fühlt sich gedemütigt, und das ist ärger als jede Strafe. Sie hat den Verdacht, daß Mama den Krieg genießt. Sie selber hat schon lange genug davon und kann nur aus Stolz nicht nachgeben.

Nach dem Abendessen darf sie mit Vater ein Kreuzworträtsel auflösen. Er ist ein miserabler Rätsellöser. Wenn er ein Wort nicht weiß, erfindet er einfach ein neues, und schließlich gerät er in hoffnungslose Bedrängnis. Das Rätsel stimmt hinten und vorn nicht und muß abgeändert werden. Ein indischer Gott heißt plötzlich Zakki und ein Fluß in Portugal Pipibo. Eine fremde, geheimnisvolle Welt entsteht unter Vaters schmalen, braunen Händen, ein utopisches Gebilde, das Mama später empört mit dem Radiergummi bearbeitet und in mühevoller Arbeit in ein gewöhnliches ordentliches Rätsel zurückverwandelt. Vater ist ein bißchen beschämt. Er ist stolz auf Mama, weil sie viel belesener ist als er und ein besseres Gedächtnis hat.

Über Metas Entgleisung bezüglich ihrer Zukunftspläne wird nicht mehr geredet. Sie vermutet, daß die Eltern im Bett darüber gesprochen haben. Eine sehr unangenehme Vorstellung, diese Bettvertraulichkeiten. Was Vater da zu hören bekommt, kann für Meta auf keinen Fall günstig sein. Es muß doch leicht sein, einen müden, schläfrigen Mann von einer Sache zu überzeugen. Nicht nur, daß Mama Meta schlagen darf, sie hat auch jede Gelegenheit, Vater auf ihre Seite zu bringen. Manchmal ist Meta deshalb so lebensüberdrüssig, daß sie von den Großen nichts mehr wissen will und zurückgleitet in die alte vertraute Kinderwelt, zu den Steinen, Pflanzen und Tieren. Dann ist sie geistesabwesend und fügsam und geht allen aus dem Weg. Aber die Störungen sind immer da: deck den Tisch, wasch dir die Hände, geh gerade, zieh die Jacke an, die Jacke aus, starr nicht so in die Gegend, tu dies, tu das. Benommen und unwillig gehorcht sie der lästigen Stimme. Immer lauter dringt die Wirklichkeit auf sie ein, und eines Tages zerspringt die schützende Haut, die sie umgeben hat, mit dem leisen Blubb einer Seifenblase, und Meta wird zurückgezerrt in die Welt der Großen, in eine Welt, die sie nicht versteht und in der sie leben muß. Sie haben alle Machtmittel auf ihrer Seite, Gewalt und Liebe, ihnen entgeht sie nicht.

Im Nachbarhaus, einer baufälligen Keusche, wohnen zwei alte Leute mit Sohn und Tochter. Die Kinder sind auch nicht mehr jung. Die alte Frau sieht aus wie eine Hexe aus dem Märchenbuch, und Meta hat ein wenig Angst vor ihr. Der alte Mann kann nicht mehr arbeiten, und der Sohn ist schwachsinnig und darf nicht Holzknecht werden. So sind sie eben arm und leben vom Ertrag der kleinen Landwirtschaft. Der Alte verdient ein wenig mit dem Fangen von Wühlmäusen auf Vaters Wiese. Er hat eigene Fallen erfunden, auf die er sehr viel hält. Für jede Maus zahlt Vater ihm zehn Groschen. Wenn der Alte etwas Geld beisammen hat, bittet er Mama, ihm ein Kilo Würfelzucker mitzubringen, weil er immer ein so »saures Maul« hat. Die beiden Weiber dürfen von diesem Laster nichts erfahren. Den Zucker versteckt er, wo keiner ihn entdecken kann, und wenn er sich unbeobachtet weiß, schiebt er schnell ein Stück in den Mund und schmatzt glückselig mit dem zahnlosen Kiefer. Die beiden Jungen arbeiten im Stall und auf der Wiese, holen Fallholz aus dem Wald oder helfen den Bauern bei der Ernte. Dafür dürfen sie irgendwo auf einem Bauernacker ein paar Erdäpfel einlegen; sie selber besitzen ja nur Bergwiesen. Der Franz kann nur mit seiner Schwester arbeiten, sie gibt die Befehle und treibt ihn an. Er ist ein hagerer Mann mit einem leeren, schmalen Gesicht und torkelndem Gang. Aber schreiben kann der Franz mit wunderschöner Schrift, auf die seine Schwester, die Stasi, sehr stolz ist. Freilich, man muß ihm ansagen, was er schreiben soll, von selber fällt ihm nicht ein Wort ein. Reden kann man nicht viel mit ihm. Er ist immer geistesabwesend, und was er sagt, klingt wie Lallen. Vater kann ihn ganz gut verstehen, Meta überhaupt nicht.

Aber sie mag ihn gern, denn sooft er sie sieht, überzieht sein leeres Gesicht ein seliges Grinsen. Mit der Stasi hat Meta sich schon als kleines Kind angefreundet, und immer, wenn sie von daheim entwischt ist, hat man sie bei Stasi im Kuhstall gefunden.

Dieser Stall ist etwas Wunderbares, eine kleine warme Welt aus Streu und Tierleibern. Zwei Kühe gibt es dort, ein Kalb und eine Ziege; in der Tenne hält Stasi Kaninchen und Schweine, und das Haus wimmelt von Katzen. Meta begreift, daß alle diese Tiere Stasis Kinder sind. Im Forsthaus hält man Mensch und Tier reinlich getrennt, und wenn Mama den Hund gestreichelt hat, wäscht sie sich sofort die Hände. Bei Stasi aber sind alle Schranken gefallen. Sie liebt ihre Tierkinder viel mehr als die Menschen, die sie doch nur als alte Jungfer verspotten. Jeden Abend hört man sie ihre Katzen rufen: Graucherl! Schlaucherl! Schmaucherl! Und die drei dünnen grauen Geschöpfe kommen von irgendwoher geschossen und winden sich um ihre Beine. Jetzt ist Stasi glücklich. Sie streichelt die glatten Buckel, leert Milch in eine Schüssel, und ein großes Miauen hebt an. Die Katzen müssen sich im übrigen selber verpflegen, nur Milch kann Stasi ihnen geben. Ja, bei ihr kann Meta mit den jungen Katzen spielen, mit den Kaninchen und das Kalb auf das nasse rosarote Maul küssen. Mama sieht es ja nicht. Viele Stunden verbringen die beiden im Stall, und Stasi erzählt die Lebensgeschichte jedes Tieres. Nur wenn eine Katze nicht heimgekommen ist, eine Kuh verkauft oder das Schwein geschlachtet worden ist, sitzt sie traurig auf der Schwelle. Ihre Augen sind rot, und sie mag nicht reden. Meta versucht sie zu trösten, aber es nützt gar nichts. Stasi hat eines ihrer Kinder verloren und muß eine angemessene Zeit darum trauern. Dann bleibt Meta ein paar Tage zu Hause, denn traurige Leute machen sie ganz verlegen.

Als sie ein wenig älter wird, nimmt Stasi sie mit auf den Dachboden, wo sie im Sommer in einem schönen großen Bauernbett schläft. Auch buntbemalte Truhen und Kasten stehen dort oben. Es ist ein luftiger, sauberer Raum, aber im Winter muß Stasi in die Stube übersiedeln, hier müßte sie erfrieren. In der Truhe hat Stasi allerlei Gewand und ein Bündel Briefe und Karten, die mit einem blauen Band umwunden sind. Am Sonntagnachmittag sitzen die beiden auf dem Bett, und Stasi liest Meta die Briefe vor. Sie stammen alle von einem gewissen Peter, der Stasi beinahe geheiratet hätte. Viel steht eigentlich nicht in den Briefen, lauter ganz alltägliches Zeug. Und sie schließen alle mit derselben Formel: »Und hoffe ich, daß es auch Dir gut geht, und beschließe mein Schreiben mit vielen Grüßen von Deinem treuen Peter.« Den Zunamen, der auch dort steht, liest Stasi nie vor, das heißt, sie vermurmelt ihn zwischen den Zähnen, denn sie will nicht, daß die Welt ihr Geheimnis kennenlernt. Offenbar ist der Peter aber doch nicht treu gewesen. Meta bohrt und bohrt und kann nicht hinter das Rätsel kommen, warum aus der Heirat nichts geworden ist. Wenn Stasi nicht mehr weiß, wie sie sich herauswinden soll, wird ihr Gesicht leer wie das ihres Bruders, und sie starrt mit kleinen grauen Augen in einen Winkel. Aber Meta kann man nicht so leicht entmutigen. Sie nimmt die Freundin um die schmalen Schultern und rüttelt sie, so fest sie kann: »Sag schon, warum hast du ihn nicht geheiratet?« Um keinen Preis will Stasi mit der Wahrheit herausrücken. Jetzt bleibt ihr nur noch ein Ausweg, sie stellt sich einfach taub. »Han?« sagt sie und legt die Hand hinters Ohr. »Manchen Tag hör' ich gar nichts, ich muß einmal zum Doktor gehen.« Es ist zum Verrücktwerden, Meta muß unverrichteter Dinge abziehen. Später einmal aber verschnappt sich Stasi, und Meta kommt darauf, daß besagter Peter längst verheiratet ist. Stasi scheint diesen Umstand nicht genügend ernst zu nehmen. Sie zuckt die Achseln und lacht einfältig. Plötzlich sieht sie genauso aus wie der Franz. »Wer weiß, was sein wird«, flüstert sie. Das ist für Meta zu unbestimmt. »Glaubst du, daß seine Frau bald stirbt?« fragt sie. Stasi bekreuzigt sich und fängt zu stottern an: »Ich hab' nichts gesagt vom Sterben, ich nicht.« – »Aber Stasi«, bedrängt Meta die Freundin, »wenn sie nicht stirbt, kann er dich ja nicht heiraten. Das weiß ich ganz bestimmt. Kein Mann darf zwei Frauen haben, nur bei den Türken gibt es das.« Stasi ist ganz entsetzt. »Du bist soviel gescheit«, murmelt sie, »hoffentlich geht das gut aus mit dir«, und sie schüttelt den Kopf und verstaut ängstlich die Briefe in der Truhe. Gar nichts mehr ist mit ihr anzufangen. »Die Leute sind so schlecht«, wiederholt sie immer wieder, und: »Ich hab' nichts vom Sterben gesagt, ich nicht.« Meta könnte sich ohrfeigen, immer wieder muß sie Stasi aus der Fassung bringen, aber warum kann sie auch nie eine gerade Antwort bekommen. Das ist nicht nur mit Stasi so, die Leute im Tal geben alle keine geraden Antworten. Meta wird nicht klug aus ihnen. Manchmal sieht es aus, als meinten sie immer gerade das Gegenteil von dem, was sie sagen. Auf dem Dachboden scheint Stasi fast Angst vor Meta zu haben. Es ist besser, man besucht sie nur im Stall. Dort wird nie über den unseligen Peter geredet, nur über die Bleß und die Schecke und die verworrenen Verwandtschaften der Katzen und Kaninchen. Eines der Kaninchen ist ein Männchen und heißt Hasenbock. Meta findet das lächerlich, weil das Tier gar keine Hörner hat. Sie will wissen, woran Stasi den Hasenbock erkennt. Stasi tut den Mund auf, zögert ein bißchen und sagt dann: »An den Ohren.« Das ist sichtlich gelogen. Jetzt hat Stasi an Mama denken müssen. Sie fürchtet sich einfach, die Wahrheit zu sagen.

Überhaupt steht Mama als Hindernis zwischen Meta und den Leuten aus dem Tal. Sobald sie auf eine Frage eine zögernde, verlegene Antwort erhält, denkt der Befragte an Mama. Auf diese Weise wird Meta nie erfahren, wie es unter den Leuten wirklich zugeht. Sie ist darauf angewiesen, die Ohren zu spitzen, um gelegentlich etwas aufzufangen. Weil sie aber nicht um Erklärungen bitten kann, macht sie sich die seltsamsten Vorstellungen. Sie hört zwei Taglöhnerinnen besprechen, daß ein Mädchen ein Steinkind bekommen hat. Man hat es ihr im Spital aus dem Bauch geschnitten. Meta denkt tagelang über das Steinkind nach. Lebendig kann es nicht sein, wenn es aus Stein ist, aber tot auch nicht, weil Steine nicht sterben können. Immerhin ist es ein Kind, und man wird es wohl nicht einfach in den Bach geworfen haben zu den alten Flaschen und Sensen. Wahrscheinlich liegt es in einer Wiege auf dem Dachboden, wird manchmal abgestaubt und dann wieder zugedeckt. Seine Mutter wird längst tot sein, und das Steinkind wird noch immer auf dem Dachboden stehen, und keiner wird sich daran erinnern. Tiefes Mitleid mit dem unglücklichen Wesen befällt Meta. Wenn sie es doch nur einmal sehen könnte! Ob es aussieht wie ein Wachsjesukind? Aber es ist ja aus Stein, also wird es grau sein. Vielleicht wächst ein bißchen Moos auf ihm. Aber sie wird es nie zu Gesicht bekommen. Ein sicherer Instinkt sagt Meta sofort, wenn eine Geschichte anrüchig ist und man keine Fragen stellen darf.

Manchmal flüstert Mama mit Berti und verstummt, wenn Meta in die Küche kommt. Es ist zum Verzagen! Wären die Bücher nicht, Meta müßte ewig dumm bleiben. Dabei geschehen im Tal bestimmt ganz unglaubliche Dinge, sie erfährt nur nichts davon durch die Verschwörung, die Mama angezettelt hat. Beim Heuen hört sie einmal, wie die Moser einer anderen Frau erzählt, ein gewisser Hias habe mit seiner Schwester geschlafen. Als sie Meta erblickt, überzieht ein süßes Grinsen ihr Gesicht, und sie fragt scheinheilig, was Nandi macht. Dabei ist Nandi ihr ganz einerlei. Meta entfernt sich beleidigt. Warum sollte der Hias nicht mit seiner Schwester schlafen; vielleicht haben sie kein zweites Bett. Aber dem Tonfall der Moser war zu entnehmen, daß es sich dabei um etwas besonders Gräßliches handelt. Und aus den Klassikern weiß sie, daß ›schlafen‹ noch eine zweite Bedeutung haben muß. Wenn doch ein Mensch ihr etwas erklären wollte. Anderseits will sie es aber doch nicht wissen, denn worüber könnte sie sich Gedanken machen, wenn sie alles schon wüßte. Den Hias kann sie auf keinen Fall fragen: »Hast du wirklich mit deiner Schwester geschlafen?« Man hält ihr ja immer noch vor, daß sie als Dreijährige eine uralte Großtante gefragt hat: »Mußt du so lange leiden, bis du stirbst?« Deutlich erinnert sie sich an Mamas entsetzten Blick und wie man sie aus dem Zimmer gezerrt hat. Damals hat sie ja noch nicht wissen können, daß es taktlos ist, vom Sterben zu reden. Das kommt davon, weil man ihr immer alles viel zu spät erklärt.

Die Leute, die ins Haus kommen, sehen alle so bieder aus, und doch spielen sich in ihren Keuschen Dinge ab, die Meta sich nicht einmal vorstellen kann. Sicher darf sie aus diesem Grund nicht mit anderen Kindern spielen. Nur gegen ihre Besuche bei Stasi hat Mama nichts einzuwenden, sie weiß, daß Meta dort keine skandalösen Geschichten hören wird. Stasi hat viel zu große Angst, Vater und Mama zu verstimmen, weil sie immer wieder ihre Hilfe braucht.

Aber selbst bei Stasi gibt es Gefahren, an die Mama nicht gedacht hat. Ihr Häuschen ist an den Hang gebaut, und Meta vergnügt sich damit, von dort auf das Dach zu klettern und auf dem First zu balancieren. Sie fühlt sich ganz als Seiltänzerin. Das Stroh stichelt angenehm auf ihren Sohlen, und sie denkt nie an das Steinpflaster vor dem Haus. Einmal rutscht sie auf dem glatten Stroh aus und landet in der morschen Dachrinne. Komisch sieht die Welt von oben aus. Plötzlich hört Stasi, die am Brunnen steht und den Melkeimer wäscht, das Geraschel, erblickt Meta und steht starr vor Schreck. Meta klettert zurück auf den First und rutscht auf den Berghang hinunter. Sie tröstet die arme Stasi und muß ihr versprechen, nie mehr aufs Dach zu steigen. Mama würde Stasi nie verzeihen, wenn ein Unglück geschähe. Na ja, Meta beschließt, ihr Versprechen zu halten, sie will Stasis Freundschaft nicht verlieren. Es gibt ohnedies genug Schwierigkeiten in ihrem Leben. Was darf sie überhaupt noch ungestraft tun? Auch auf Bäume soll sie nicht klettern. Sooft sie erwischt wird, setzt es Ohrfeigen. Das macht ihr nichts aus, aber Mama ärgert sich wirklich sehr, und das will Meta nicht. Warum kann sie auch kein braves Kind sein und wie Nandi auf einem Schemel sitzen und mit Puppen spielen. Sobald sie einen Baum sieht, beäugt sie ihn schon nach seiner Ersteigbarkeit. Ihre Sohlen fangen an zu jucken vor Verlangen nach der rauhen Rinde. Sehnsüchtig starrt sie in die Astgabeln, dort, wo man im grünen Schatten sitzt, verborgen wie ein Vogel. Wenn jetzt niemand eingreift, ist es um sie geschehen, und sie sitzt schon auf dem Baum. Und wie sich die Bäume freuen, wenn sie zu ihnen kommt! Es ist eine große Seligkeit, man weiß nicht, wo der Baum aufhört und Meta anfängt. Warum kann Mama nicht einsehen, daß sie hier ganz in Sicherheit ist. Ein einziges Mal stürzt sie ab. Und was tut der brave Baum? Er streckt einen Aststumpf vor und fängt Meta am Kittel auf. Dort zappelt sie eine Weile, dann reißt der Stoff, und sie plumpst sanft ins Gras. Der Kittel ist leider ganz durchgerissen, und das läßt sich nicht verheimlichen. Zur Strafe muß Meta ihn stopfen. Das ist die härteste Buße, die Mama je verhängt hat. Wie gerne ließe Meta sich durchhauen, sogar auf Scheitern möchte sie lieber knien. Es kommt ein grausliches Gestichel dabei heraus, und Mama verschenkt den Kittel. Diesmal ist Meta böse und trägt Mama die Strafe nach, zwei Tage lang, das ist eine sehr lange Zeit. Jetzt klettert sie erst recht auf jeden Baum, aber Mama ist klug und übersieht es. Überhaupt hat sie in der nächsten Zeit zuviel Arbeit, um sich mit ihrer Tochter herumzustreiten.

Meta steigt hinauf in den Wald und kommt stundenlang nicht nach Hause. Der Wald ist unendlich groß, freundlich und voll von Geheimnissen. Fremdartige Blumen gibt es da, Kletterbäume, hohle Baumstümpfe, riesige Ameisenhaufen und Höhlen, in denen sicher einmal Tiere gewohnt haben. Einmal sieht Meta einen flammendroten Fuchs, ein anderes Mal stößt sie fast mit einem Reh zusammen, und was da im Laub raschelt, ist sicher ein Igel oder eine Schlange. Sie baut kleine Häuser für Wiesel und Iltisse und malt sich aus, wie sie sich darüber freuen werden.

Einmal wagt sie sich ganz weit hinauf und entdeckt eine kleine Ebene, auf der eine große alte Buche wächst. Darunter liegt ein seltsam geformter Felsblock. Der Boden ist mit Moos bedeckt, in dem ihre Füße lautlos versinken. Der Felsen ist dunkelgrau und ganz mit feinen schwarzen Rillen bedeckt. Das erinnert Meta an die Bilder alter verwitterter Inschriften, die sie in Büchern gesehen hat. Das kann nur das Grabmal des toten Sture Mure sein. Andächtig legt sie die Hand auf das graue Felsgesicht. Aus einer Ritze wachsen winzige blaßblaue Glockenblumen, die unter ihrem Atem erzittern. Es ist so still im Wald. Auch die Vögel sind auf einmal verstummt, als warteten sie auf etwas, was geschehen wird. Meta weiß nicht recht, ob es gut ist, daß sie das Grab entdeckt hat. Wer weiß, ob der tote Sture Mure nicht lieber allein sein will. Vorsichtig und auf Zehenspitzen entfernt sie sich und atmet erst auf, als sie bekannte Gegenden erreicht. Nachts träumt sie und besucht wieder das Grab im Wald. Aber jetzt ist der Wald ganz verändert, düster und erstarrt. Es ist so still, als gäbe es nur sie von allen Menschen und den toten Sture Mure unter dem Felsen. Dann erwacht sie voll Angst und begreift: dies ist eine Warnung. Sie darf das Grabmal nie mehr besuchen.

Metas Träume sind so lebhaft, daß sie sich nicht immer von der Wirklichkeit unterscheiden lassen. Dann kommt es vor, daß Mama sagt: »Du erzählst ja schon wieder Geschichten. Das hast du bestimmt nur geträumt. Wie käme ein buckliger Mann in die Mansarde?« Meta denkt nach. Es scheint wirklich unmöglich. Aber sie erinnert sich doch so deutlich an jede Falte in seinem Gesicht und an den sonderbaren Geruch nach Moos und Pilzen. Und sie versteift sich darauf, ihn gesehen zu haben. Schließlich wird Mama böse. Meta sieht betrübt ein, es muß doch ein Traummann gewesen sein. Immer wieder nimmt sie sich vor, den Mund zu halten, und immer wieder ertappt Mama sie beim Flunkern. Es ist besonders ärgerlich, weil sie dann immer gleich Vater dafür verantwortlich macht, ihn und seine ganze Familie, die samt und sonders Geschichten erzählt, die einfach nicht wahr sein können. Die Leute werden sagen, Meta lügt. Lügt sie wirklich? Sie weiß es selber nicht. Manchmal lügt sie ganz bewußt, um einer Strafe zu entgehen, aber diese Lügen werden selten entdeckt. Oft aber erzählt sie Geschichten, an die sie fest glaubt, bis Mama ihr klarmacht, daß etwas daran nicht stimmt. Das Leben ist so unsicher, wenn man sich nicht mehr auf seine Augen und Ohren verlassen kann. Warum ist ein Traum Lüge und, was bei Tag geschieht, Wahrheit? Vielleicht, weil man die Traumdinge nicht in den Tag hinein mitnehmen kann. Dies ist ein ewiger Kummer Metas. Manchmal sieht sie im Traum die schönsten Spielsachen, und wenn sie erwacht, ist alles weg. Sie bildet sich ein, wenn sie fest zufaßt und gleichzeitig erwacht, muß es ihr gelingen, die Schätze dem Traum zu entreißen. Sie übt so lange, bis sie sich im Traum an ihren Vorsatz erinnert. »Jetzt«, flüstert sie, »jetzt ist es soweit«, und spürt im Erwachen ihre Hand zukrampfen. Aber dann ist nichts zu sehen als die Spuren ihrer Nägel in der Handfläche.

Etwas liegt in der Luft. Meta wagt nicht, Fragen zu stellen. Mama ist bedrückt, und Vater grollt schweigend. Das Mittagessen verläuft ungewohnt still. Meta hat keinen Hunger, und sogar Nandi scheint etwas zu merken und schaut fragend im Kreis umher. Seinetwegen sagt Mama etwas Scherzhaftes, aber es klingt ganz falsch und erstarrt mitten in der Luft. Nach dem Essen verschwindet Vater in der Kanzlei, und Mama setzt sich an die Nähmaschine. Der Adjunkt ist ins Revier gegangen, Berti schneidet Futter auf dem Heuboden, und Nandi schläft. Meta sitzt allein in der Küche und liest wieder einmal in David Copperfield. Aber heute gelingt es ihr nicht, ganz ins Buch hineinzuschlüpfen und alles rundherum zu vergessen.

Vater ist böse. Es hat etwas gegeben, aber sie weiß nicht, was. Gegen vier Uhr kommt Vater aus der Kanzlei, aber nicht wie sonst, um zu jausnen. Nein, er steigt hinauf ins Schlafzimmer, und bald hört Meta ihn über ihrem Kopf hin und her gehen, Schubladen aufziehen und Türen bewegen. Mamas Nähmaschine stockt lauschend, dann rattert sie wütend weiter. Mama ärgert sich, weil Vater dort oben auf und ab geht. Das tut er immer, wenn man ihn böse gemacht hat. Es wirkt viel ärger auf die Familie als Schimpfen und Geschrei. Obgleich Vater auch brüllen kann, kurz und schrecklich wie ein Löwe. Er tut es sehr selten, nur wenn der Jähzorn ihn übermannt. Dann sprühen seine Augen blaue Blitze, und man möchte eine Maus sein und verschwinden können. Aber das Löwengebrüll dauert nur eine Minute. Dann ist die Luft reingefegt, und alles ist wieder gut. Meta möchte auch gerne so laut brüllen können; leider hat sie nicht Vaters tiefe Stimme. Frauengeschrei ist etwas ganz Unerträgliches und erinnert kein bißchen an einen Löwen. Was tut Vater wirklich im Schlafzimmer? Er räumt einmal gründlich auf. Alle Kleider, egal ob sie gewaschen sind oder schmutzig, hängt er in den Kasten, und alles, was auf der Kommode steht, wandert in die Schubladen. Sogar der Waschtisch wird abgeräumt. Dann reißt er noch die Fenster auf und macht Durchzug. Wenn alle Zimmer aufgeräumt sind, nimmt er sich manchmal noch die Werkzeugkammer vor. Am Abend erscheint er dann milde lächelnd, und alles atmet auf. Später findet man die Schlafzimmer in spartanischer Schlichtheit vor. Sogar die Zierdeckchen, die ohnedies ein Dorn in seinen Augen sind, hat Vater verschwinden lassen. Manche Dinge werden überhaupt nie mehr oder erst nach Monaten wiedergefunden. Stillschweigend sucht Mama alles wieder aus Kasten und Schubladen, und bald sehen die Zimmer so bewohnt und angeräumt aus wie zuvor. Nur seinen Schreibtisch hat Vater nicht angerührt, dort stehen hundert Kleinigkeiten, die Mama nur nach harten Kämpfen manchmal abstauben darf. Wehe, wenn sie dabei ein bißchen verrückt werden.

Mama ärgert sich sehr über Vaters Aufräumerei, aber sie hält wunderbarerweise den Mund. Das fällt ihr bestimmt sehr schwer. So energisch und kratzbürstig sie ist, wenn Vater einmal böse wird, gibt sie nach. Und was macht Vater böse: wenn die Zeitung zerrissen und verloren wird, wenn jemand im Bücherkasten wühlt, die Gewehre und Pfeifen anfaßt oder gar die Möbel in seiner Kanzlei umstellt. Ein großes Vergehen ist es, sich an den Sicherungen oder am Widder zu vergreifen. Der Widder ist ein kleines Eisenmännchen, das das Quellwasser vom Berg heraufpumpt. Er steht in einer kleinen Hütte auf der Bachwiese und macht

Tag und Nacht tack tack, und etwas in ihm springt immerzu auf und nieder, das ist sein eisernes Herz. Wenn er stehenbleibt, hört der Brunnen zu fließen auf. Der Widder mag sich nur von Vater anfassen lassen, und jeder schlägt einen Bogen um sein Häuschen. Auch die Uhren kann nur Vater aufziehen, das ist eine feierliche Handlung, genau wie das Auswechseln der Sicherungen. Und noch etwas tut Vater, er beschneidet regelmäßig die Nägel von Meta und Nandi. Im übrigen kümmert er sich nicht um den Haushalt und überläßt alles Mama. Nur Nägel schneiden, Schiefern entfernen und mit Jod betupfen fällt in sein Ressort. Ja, und noch etwas tut Vater: Wenn eines der Kinder hustet, erhitzt er Hirschtalg in einer kleinen Pfanne, streicht ihn auf einen Leinenfleck und legt ihn den Kindern auf die Brust. Der Talg stinkt, aber Vater schwört auf seine Heilkraft. Jod und Hirschtalg genügen ihm als Medizin. Niemals tastet Mama diese väterlichen Vorrechte an. Es bleibt ihr ja noch genug zu tun. Sie liest am liebsten Ärztebücher und verfällt der Reihe nach auf verschiedene Heilmethoden, erst auf Prießnitz und Pfarrer Kneipp, dann auf Topfenumschläge und später auf ein Gemisch aus Essig und Lehm. Einmal hat Meta eine Augenentzündung, und Mama bindet ihr ein Säckchen voll frischem Topfen aufs Gesicht. Das ist sehr lästig, und Meta kann nicht schlafen. Um Mitternacht wird sie hungrig und riecht den angenehmen säuerlichen Topfengeruch. Sie nimmt das Säckchen vom Gesicht und ißt den Inhalt auf. Am nächsten Tag sind die Augen gut, und Mama zeigt Vater erfreut, wie die Hitze den Topfen einschrumpeln hat lassen. Meta schämt sich, sagt aber kein Wort. Die Lehm- und Essigmethode bietet Mama weniger Möglichkeiten. Sie kann die Kinder nicht gut in Lehm einschlagen. Aber dann bekommt das Schwein Rotlauf, und Mama rührt Lehm und Essig in einem großen Schaff und bestreicht es mit diesem Brei. Dann schneidet sie ihm noch das Schwänzchen ab. Das Schwein stößt einen entsetzten Schrei aus und blutet unmäßig. Das soll ein Aderlaß sein, behaupet Mama und sitzt stundenlang vor dem Schweinestall, um ihren Patienten zu beobachten. Und wirklich, das Schwein wird gesund. Onkel Schorsch schreibt sofort eine Ballade über dieses Ereignis und trinkt zwei Mostkrüge leer. Seine Balladen haben immer sehr viel Strophen.

Bei den Kindern muß Mama sich mit Hals-, Brust- und Ganzwickeln begnügen. Eigentlich hat nur Meta darunter zu leiden, denn sie ist anfällig für Erkältungen und bekommt wegen jeder Kleinigkeit hohes Fieber. Völlig entkräftet liegt sie nach Abnahme der Wikkel im Bett.

Das ganze Tal schwört auf Mamas Künste und sucht bei ihr Hilfe. Jeder, der sich verletzt hat, und das kommt bei den Holzknechten oft genug vor, wird von Mama gereinigt und verbunden. Je größer und blutiger die Wunde ist, desto aufgeräumter wird Mama. Meta kann das gar nicht verstehen, das rote klaffende Fleisch sieht ganz fürchterlich aus.

Wenn Meta ihre Fieberanfälle hat, darf sie in Mamas Bett liegen. Es ist ganz schön, manchmal ein bißchen krank zu sein. Mama ist dann wie verwandelt; eifrig und liebevoll bringt sie Weinchaudeau und Biskotten herbei. Treppauf, treppab rennt sie, und keine Mühe ist ihr zuviel. Freilich, die Wickel sind ärgerlich, aber zum Trost darf Meta nachher die Bibel anschauen. Die Bibel liegt in Vaters Kleiderkasten und ist nur im Bett und bei leichter Krankheit gestattet. Sie ist unmäßig dick und schwer und ganz voll gelber Stockflecken. Süß ermattet lehnt Meta in den Kissen, und das schwere Buch drückt auf ihre Knie. Lange Zeit hat sie nur die Bilder betrachtet. Die Schrift ist so verschnörkelt, daß sie nicht zum Lesen verlockt. Aber eines Tages gelingt es ihr, eine ganze Seite zu entziffern, und jetzt kann nichts sie mehr aufhalten. In der Bibel geht es zu wie bei den Klassikern: Mord, Totschlag, Verrat und alle Greuel, die man sich denken kann. Ganz ausgefallene Verbrechen gibt es. Ein Patriarch schläft sogar mit seiner Schnur. Meta kann sich nicht danach erkundigen, sonst nähme Mama ihr bestimmt die Bibel fort. So geht sie über die Schnur hinweg und nimmt an, es handle sich um eine Person, die ihr aus den Klassikern als Metze, Dirne oder Buhlerin bekannt ist. Das wäre ja nichts Besonderes, erst daß eine Spagatschnur in die Geschichte verwickelt ist, macht sie völlig rätselhaft und geheimnisvoll. Auch eine Menge Kriegsgeschichten gibt es in der Bibel. Jahwe ist ein grantiger zorniger Gott, der sich über jede Kleinigkeit aufregt, sogar über ein goldenes Kalb. Meta findet das goldene Kalb sehr liebenswert, warum sollten die Juden nicht darum tanzen? Jedenfalls, mit ihrem lieben Gott hat Jahwe gar nichts gemein.

Ihre Lieblingsgeschichten sind die von den Mauern Jerichos und von der bösen Jezabel. Das Bild zeigt die Königin von den Zinnen des Schlosses gestürzt, zwischen Mauertrümmern liegend, eine prächtige Gestalt. Nicht einmal die Krone hat sie bei ihrem Sturz verloren. Meta grübelt lange darüber nach, womit sie die Krone wohl auf ihrem Kopf befestigt hat, und kann nicht dahinterkommen. Die Falten des Kleides sind schön geordnet; zwei magere bösartige Hunde schnüffeln schon an den Schultern der Königin. Gleich werden sie anfangen, sie zu zerreißen. Meta weiß vom Schweineschlachten, wie gern die Hunde rohes Fleisch fressen, besonders so halbverhungerte wie die im Buch. Es ist schade um eine so schöne Frau! Aus der Bibel kann Meta nicht entnehmen, was Jezabel eigentlich so Schlimmes verbrochen hat. Jahwe hätte sie ja auch bessern können, aber daran hat er gar nicht gedacht. Das war aber sehr böse von ihm. Meta starrt eine Ewigkeit auf das Bild und verwandelt sich in die stolze Jezabel. Sollen mich halt die Hunde fressen, denkt sie, ich geb' nicht nach. Mich werdet ihr nicht winseln hören, mich nicht. Im Staub liegend, sieht sie die höhnischen Gesichter auf den Zinnen, und an ihrer Wange spürt sie das Hecheln der Hunde. So ist es, von Gott und der Welt verlassen zu sein. Ein herzzerreißend süßer Augenblick, in dem sie stärker ist als alle ihre Feinde. Ich, die böse Jezabel, lasse mir schweigend das Herz aus der Brust reißen. So muß es Luzifer zumute sein, als Michael ihn in die Hölle tritt.

Dann kommt das Fieber zurück, Metas Augen tun weh, und die Bibel rutscht von ihren Knien. Sie ist ganz allein mit ihren Gedanken. Sie überblickt das Tal und sieht den Weg jenseits des Baches, der zur Bahnstation führt. Ein Bub treibt eine Kuh vorbei, und eine alte Frau schiebt einen Schubkarren heimzu. Oberhalb der Straße ist ein überhängender Felsen, und plötzlich entdeckt Meta, daß er ein Gesicht hat, ein breites graues Steingesicht mit Moosaugen, einem Moosbart und einem wirren Haarschopf aus Haselsträuchern. Gleichgültig schaut er zu ihr herüber, ein alter Steinmann, der seinen Kopf aus dem Berg streckt und das

Tal überwacht. Stundenlang kann Meta ihn betrachten. Warum will er sie nicht sehen? Sie schneidet ihm Gesichter, zeigt ihm die Zunge und winkt. Aber er schaut mitten durch sie und das Haus hindurch.

Im Bett ist es nie langweilig. Die Gedanken gehen schneller als sonst, man kann sie nicht festhalten. Meta teilt sich in zwei kleine Mädchen, in eines, das unter der Hetzjagd in ihrem Kopf leidet und Gesichter und Gestalten auf der Wand entdeckt, Gesichter, die überall wuchern und sie bald erreichen werden. Jetzt fangen ja schon die Falten der Tuchent an, sich beängstigend zu verwandeln. Die zweite Meta beobachtet ganz kühl diese Vorgänge und findet es belustigend, wie das dumme Kind im Bett sich vor Dingen fürchtet, die es gar nicht gibt. Es ist äußerst wichtig, die Doppelgängerin nicht aus den Augen zu lassen.

Vor dem Fenster senkt sich die Dämmerung übers Tal. Vater kommt aus dem Revier nach Hause, und nach einer Weile tritt er an ihr Bett. Er zieht die Vorhänge zu, knipst die Lampe an und setzt sich in einen Sessel. Meta, jetzt wieder in ungeteiltem Zustand, läßt sich eine kleine Geschichte erzählen und lacht ein wenig zu laut darüber. Vater holt das Thermometer, und es zeigt sich, daß sie schon wieder Fieber hat. Unruhig geht Vater auf und ab im Zimmer. Er tut Meta leid, weil er hier nicht rauchen darf. So stellt sie sich schläfrig, damit er in die Kanzlei zu seiner Pfeife gehen kann. Sie versteht ihn gut. An Krankenbetten sitzen ist sehr langweilig. Später kommt Mama mit dem Abendessen. Meta muß in ihr Zimmer übersiedeln und bekommt schon wieder einen Wickel. Sie schwitzt und weint vor Bedrängnis, aber auch das geht vorbei, und endlich wird sie erlöst und abgetrocknet und schläft erschöpft ein. Und morgen wird wieder das Fieber kommen, und sie wird in Mamas Bett liegen und die Bibel lesen.

Mama erzählt oft von den Reisen, die sie als junges Mädchen gemacht hat, nach Rom, Neapel und an die Riviera, mit einer Dame, deren Schmuck sie immerzu bewachen hat müssen. Bald merkt Meta, daß Mama viel lieber in Rom wäre als hier in dem engen Tal, wo dreiviertel Jahre Winter ist. Aber so verständlich es ihr erscheint, daß Vater sich noch immer in Rußland aufhält, so wenig kann sie Mamas Liebe für Rom verstehen. Vielleicht liegt es nur daran, daß sie nicht so gut erzählen kann wie Vater. Rom wird einfach nicht lebendig, und die großen Toiletten und der Schmuck der Dame langweilen Meta. Sie macht sich gar nichts aus Abendroben und Brillanten. Wie aufregend ist dagegen die Geschichte vom Leutnant Girkinger, der in einem großen Bottich sitzend splitternackt von den Russen gefangen wird. Das kommt davon, wenn man mitten im Krieg ein Bad nehmen muß. Der Leutnant scheint ein rechter Gigerl gewesen zu sein. Splitterfasernackt und rot wie ein gesottener Krebs! Die Russen werden Augen gemacht haben! Das sind Geschichten, die Meta gefallen. Was soll ihr ein Diamantenkollier und Haare bis zu den Knien. Wer will schon Haare bis zu den Knien? Die Dame muß nicht ganz bei Trost gewesen sein. Dauernd frisiert und aufgeputzt zu werden, was für ein ödes Leben. Mama ist ein wenig gekränkt über Metas Gleichgültigkeit, aber je mehr sie von Bällen, Museen und Domen schwärmt, desto trübsinniger wird Meta. In den Domen und Museen gibt es weder Hunde noch Katzen, nur Bilder und vergoldete Statuen. Schön fad muß es dort zugehen.

Manchmal gelingt es Meta, Mama von ihren Erinnerungen abzulenken, und dann zeigt sich, daß sie auch recht bemerkenswerte Geschichten weiß, die Geschichte von Vetter Emmerich zum Beispiel oder die von Onkel Medard, die Geschichte von der Typhusepidemie in Krems und die vom großen Fluch. Aber gerade davon will Mama nichts wissen. Sie findet diese Geschichten alltäglich, weil sie nur von ihrer Familie handeln und nicht von reichen Damen mit Haaren bis zu den Knien. Meta möchte immer wieder die Geschichte von Vetter Emmerich hören. Er ist ein Neffe der traurigen kleinen Großmutter, das spätgeborene einzige Kind ehrbarer Geschäftsleute. Es gibt ein Bild von ihm, da liegt er auf einem Eisbärenfell und hat einen kleinen nackten Popo und große schwarze Augen. Meta findet dieses Bild wunderschön, und sie bedauert, daß man sie nicht so fotografiert hat. Allerdings sieht Emmerich jetzt ganz anders aus, groß und hager, von länglichem Gesicht, wachsbleich und mit in die Stirn fallendem schwarzem Haar. Armer Emmerich! Mit 19 Jahren ist er Vollwaise und bringt sein Vermögen mit leichtsinnigen Freunden durch. Meta besteht darauf, daß Mama sagt, das waren Schmarotzer, denn dieses Wort klingt so schön fett und schmatzend, und sie kann es nicht oft genug hören. Also, Emmerich bringt sein Vermögen durch, man munkelt sogar von Champagnergelagen im einzigen Hotel des Städtchens, aber das ist vielleicht etwas übertrieben. Plötzlich verliert er die Lust an dem leichten Leben und fährt nach Paris, nicht um sich dort weiterzuvergnügen, nein, er folgt den Spuren Strindbergs. Strindberg, sagt Mama, war ein großer Dichter, aber ein ebensolcher Narr wie Emmerich. Auf Metas Flehen gibt sie ihr ein Reclambändchen mit Strindbergs Kammerspielen. Meta entnimmt dem Büchlein nur, daß in einem Kasten eine Mumie sitzt und daß es auch sonst recht unheimlich zugeht, und sie gibt es beklommen zurück. Mama ist froh, daß Meta Strindberg noch nicht versteht, denn, so sagt sie: »Bei dir muß man ohnedies auf das Schlimmste gefaßt sein. Bei Emmerich hat es auch mit dem vielen Lesen angefangen. Ein so begabter Mensch, spricht drei Sprachen, und was tut er: Er bringt sein Vermögen durch.« In Paris geschieht es dann aber, daß der tote Strindberg den Spieß umdreht und nun seinerseits Emmerich von Hotel zu Hotel verfolgt. Es nützt auch nichts, daß Emmerich Paris verläßt, Strindberg bleibt ihm auf den Fersen. Später wird Emmerich, weil er ja nicht verhungern will, Sekretär bei einem reichen Orientalen und ergibt sich dem Spiritismus, das heißt der Geisterbeschwörung. Lauter Unsinn natürlich, noch dazu hat es die Kirche streng verboten.

Eines Tages, zu Metas größter Begeisterung, taucht Emmerich im Forsthaus auf, klapperdürr und abgerissen. Mama versucht ihn aufzupäppeln und steckt in ihn hinein, was nur möglich ist. Er muß in der Mansarde schlafen und hat sofort heraus, daß die schwarze Eisentür nicht geheuer ist. Schamlos gibt er zu, sich zu fürchten, schwarzes Eisen ziehe bekanntlich die Geister an. Dumm ist dieser Vetter nicht, stellt Meta beeindruckt fest. Leider ist er sonst ganz unbrauchbar. Er weiß offenbar nicht, was er mit Kindern reden könnte. Manchmal macht er den Mund auf, als wolle er etwas sagen, aber resigniert gibt er die Absicht wieder auf. So begnügt er sich damit, geistesabwesend zu lächeln, wenn er die Kinder sieht. Nachts geht er in der Mansarde hin und her und läßt die ganze Nacht das Licht brennen. Aber man kann ja nichts sagen, denn er ist immerhin Mamas Verwandter. Vater ist ganz hilflos dieser Erscheinung gegenüber und vermeidet Emmerichs Gegenwart, was nicht schwierig ist, weil der bei Tag viel schläft. Einmal wagt Mama einen Vorstoß und erkundigt sich vorsichtig nach Strindberg. Der Vetter hebt die wachsbleichen Augendeckel und starrt sie schwärzlich an: »Immer noch hinter mir her.« Daraufhin schweigt Mama. Nach ein paar Wochen, die Familie hat sich schon an den seltsamen Gast gewöhnt, verabschiedet Emmerich sich gelangweilt und verschwindet in Richtung Bahnstation. In der Mansarde bleiben eine gelbe Wachskerze zurück, die den ganzen Tisch betropft hat, ein paar Körner Weihrauch und ein violettes Briefkuvert. »Emmerich ist exzentrisch«, sagt Mama, »das ist, wenn man eine Spur zuwenig verrückt ist, um in ein Irrenhaus gesteckt zu werden. Und du, Meta, hüte dich, immerhin ist er dein Vetter zweiten Grades.« Meta beschließt, sich zu hüten. Um keinen Preis will sie exzentrisch werden. Nachts ficht sie heldenhafte Kämpfe aus mit der Gespensterschar, die ihr Bett umlauert, und denkt an den armen Emmerich, der in der weiten Welt umherirrt, keinen Groschen im Sack und mit Strindberg auf den Fersen.

Ganz anders klingen die Geschichten über Mamas väterliche Verwandtschaft. In dieser Familie gibt es seit Generationen nur Förster, Jäger und Verwalter und in grauer Vorzeit einen wilden Landvogt. Meta vermutet, daß er die streitsüchtige Veranlagung in die Familie gebracht hat, aber dafür gibt es keinen Beweis. Etwas von diesem Vogt scheint noch in Onkel Medard zu stecken, einem entfernten Verwandten, der von Zeit zu Zeit auftaucht, begleitet von einem untersetzten ruppigen Hund, der ihm sehr ähnlich sieht. Onkel Medard ist ein rotgesichtiger, rotbärtiger Mann, der aussieht wie ein Waldschratt. Mit ihm kann Meta überhaupt nichts anfangen. Bestenfalls grunzt er sie freundlich an. Da er auch nie etwas mitbringt, legt sie keinen großen Wert auf seinen Besuch.

Onkel Medard ist in graue Lodengewänder gehüllt, und zwischen Lederhose und Stutzen blitzen lange weiße Unterhosen hervor. Und er riecht genauso wie alle anderen Jäger, die Meta kennt. Sein roter Bart verdeckt einen dicken Kropf, der von blauen Adern überzogen ist und den Meta, ob sie will oder nicht, fasziniert anstarren muß. Schön ist Onkel Medard wirklich nicht. Aber er könnte ja innerlich schön sein, in der Seele. Man wird ja sehen. Er trinkt Kaffee und erzählt Mama, die sichtlich leidet, wie er den Zwölfender vom Seegraben endlich erlegt hat, eine höchst umständliche und langweilige Geschichte.

Er hat eine Tochter, die Meta nicht kennt und die offenbar ein elendes Leben führt. Onkel Medard hat nämlich beschlossen, jeden Mann niederzuschießen, der sich ihr nähern will. Ganze Nächte, behauptet er, ist er mit dem Gewehr ums Haus geschlichen, aber jetzt traut sich keiner mehr in die Nähe. Mama versucht ihn umzustimmen, aber da wird er ganz schön wütend, und sein Bart sträubt sich und sticht in die Luft wie eine Flamme. »Jeden schieß' ich nieder wie einen wildernden Hund«, röhrt er und: »Mir kommt kein Bankert ins Haus, da kannst du Gift darauf nehmen.« – »Schindeln am Dach«, flüstert Mama, aber der Onkel fegt diesen Einwand mit seiner breiten sommersprossigen Hand beiseite. Meta wird hastig um Most geschickt und ärgert sich. Immer muß Mama sie so blamieren.

Sie weiß längst aus den Klassikern, was ein Bankert ist und sieht Onkel Medard als einen zweiten Galotti mit einem Hirschfänger seine Tochter erstechen.

Nach einer Stunde hat er sich beruhigt und benimmt sich recht liebenswürdig. Sein Gesicht glüht wie ein Kupferkessel, und er redet über so verworrene verwandtschaftliche Beziehungen, daß Meta sich überhaupt nicht mehr auskennt. Inzwischen ist Vater heimgekommen, und Mama schlüpft erschöpft in die Küche. Onkel Medard sitzt noch lange bei Vater und erzählt noch einmal sehr ausführlich die Geschichte vom Zwölfender aus dem Seegraben. Er gehört zu den Leuten, die, wenn sie einmal sitzen, nicht mehr aufstehen können. Vater ist außerordentlich höflich, nur seine Augen werden langsam starr. Aber Onkel Medard ist nicht der Mann, das zu bemerken. Mama geht händeringend in der Küche hin und her. Sie ist müde und möchte gern schlafen gehen. Endlich, die Sterne stehen schon am Himmel, bricht Onkel Medard auf. Er geht nicht zur Bahn, sondern quer übers Gebirge. Tag oder Nacht ist ihm einerlei, er kennt jeden Steig in den Wäldern. Acht Stunden zu gehen macht ihm gar nichts aus und seinem Hund noch weniger.

»Das arme Mädel«, seufzt Mama, »sie wird nie einen Mann bekommen.« Immer nach derartigen Besuchen ist Mama verstimmt und ergeht sich in Anklagen gegen ihren Vater, der auch so ein Tyrann gewesen ist. Wäre sie nicht mit achtzehn Jahren von daheim weggelaufen, nach einem sagenhaften Krach mit ihrem Vater, sie säße heute als alte Jungfer dort wie ihre Schwestern. Vater sagt gar nichts zu der Geschichte und schüttelt nur angewidert den Kopf. Er will Mamas Verwandtschaft nicht bekritteln, und außerdem, was kümmert ihn Onkel Medard, der für ihn ein völlig rätselhaftes Wesen ist.

Oft erzählt Mama auch von einem Bruder ihres Vaters, der Förster im Ennstal gewesen ist und nur durch sein donnerndes Gebrüll zehn Wildschützen zu Tal getrieben hat. Vater meint zwar, das seien keine Wildschützen gewesen, sondern die versammelten Gemeindekretins, aber Mama mag nicht, wenn man an dieser Geschichte zweifelt. Auch Meta will an die Geschichte glauben, sie hat zu oft gehört, daß immer die Wilderer Sieger bleiben, wenn sie zuhauf auftreten. Was kann schon ein Mann gegen zehn Bewaffnete ausrichten. Immer wieder wird irgendwo ein Förster erschossen. Einer wird sogar gefesselt und mit dem Gesicht in einen Ameishaufen gelegt. Man kann sich vorstellen, in welchem Zustand man ihn gefunden hat, abgenagt bis auf die Knochen. Darauf gibt es nur düsteres Schweigen. Vater redet überhaupt nie über diese Dinge. Wenn er über Nacht wegbleibt und Schutzdienst macht, ist Mama sehr nervös und nimmt Meta mit ins Ehebett. Meta denkt an den Ameishaufen und kann nicht einschlafen. Mama seufzt und dreht sich von einer Seite auf die andere, nur Vater sitzt gelassen hoch oben in einer Jagdhütte, trinkt ein Glas Tee nach dem andern und legt eine Patience. Er denkt gar nicht daran, sich zu fürchten. Meta weiß das, aber die schlimmen Gedanken lassen sich nicht aus ihrem Kopf vertreiben. Wenn sie nur nie gehört hätte von jenem Ameishaufen. Unter Vaters festem blühendem Fleisch liegen die weißen Schädelknochen, weiter darf sie gar nicht denken, dann müßte etwas in ihrem Kopf zerspringen, und kein Mensch könnte das wieder in Ordnung bringen. Vielleicht geschieht das den Leuten, wenn sie wahnsinnig werden. Davor hat sie noch mehr Angst als vor Gespenstern. Aber die Wilderer werden Vater nicht erschießen und nicht in einen Ameishaufen legen. Warum sollten sie etwas so Böses tun? Vater hilft allen Leuten, soweit es ihm möglich ist. Eigentlich müßten sie ihm dankbar sein und ihn gern haben. Unter diesem tröstlichen Gedanken aber lauert das Wissen, daß es im Leben nicht so folgerichtig und vernünftig zugeht. Das Böse kann überall und ganz plötzlich losbrechen, und warum sollte es nicht auch über die Leute aus dem Tal kommen. Warum hat Vater sich auch einen so gefährlichen Beruf aussuchen müssen. Vielleicht nur, weil er es schön findet, allein mit seinem Hund im Wald herumzugehen? Meta hat nie den Eindruck, daß sein Beruf für ihn das Wichtigste auf der Welt ist. Aber was ist für ihn wirklich wichtig? Manchmal fürchtet sie, daß er gar nichts auf der Welt wirklich ernst nimmt. Das ist ein bißchen unheimlich, und sie beschließt, die Erforschung ihres Vaters auf einen späteren Zeitpunkt zu verlegen.

Es gibt ja so unendlich viel, was noch ergründet werden muß, aber nicht sofort, ein wenig später, wenn sie groß und gescheit sein wird. Eines Tages wird ihr die Weisheit einschießen, und sie wird mit einem Schlag alles wissen und verstehen. Wahrscheinlich wird das am Tag der Firmung geschehen, wenn der Heilige Geist über sie kommen wird. Meta hat eine ganz bestimmte Vorstellung vom Heiligen Geist. Ganz sicher ist er keine Taube, sondern ein sehr klares blaues Licht, das angenehm kühl ist und Ordnung und Vernunft ausstrahlt. Manchmal hat sie große Sehnsucht nach diesem Licht, denn sie ist weit weg von aller Vernunft und sehr schlampig. Bis dahin kann sie nichts tun als möglichst viel Bücher lesen, denn von den Großen eine Auskunft zu erhalten ist viel zu anstrengend. Entweder wollen sie nicht mit der Wahrheit herausrücken, oder, was für eine böse Ahnung, sie kennen selber die Wahrheit nicht. Nur selten lassen sie sich herbei, sie über eine Sache aufzuklären, oder eine Zeile aus einem Buch löst eines der vielen Rätsel. Und manchmal geschieht etwas in ihrem Kopf, und sie weiß plötzlich alles über eine gewisse Sache. Aber diese Augenblicke sind selten, und sie vergißt gleich wieder ihre schlagartigen Erkenntnisse und kann sich nur dumpf daran erinnern. Es ist zum Verzagen, daß ihr Kopf so schwach und durcheinander ist. Und leider hat sie eine heftige Abneigung gegen gründliches Arbeiten und ständiges Wiederholen. Oft ist sie abends im Bett einer großen Sache auf der Spur, aber wenn sie die Lösung nicht gleich findet, wird sie müde und schläft ein. Später einmal, beruhigt sie sich selber, wird sie nächtelang denken, ohne zu ermüden. Sie wird Ausdauer und Gründlichkeit besitzen, ihr Hirn wird sich ausdehnen und alles wissen, was es überhaupt zu wissen gibt.

Die Vorstellung, ein so aufgeblähtes Gehirn zu besitzen, ist sonderbarerweise gar nicht angenehm. Sie spürt schon jetzt alle Knochen im Kopf knacken vor Anstrengung. So schiebt sie den Gedanken beiseite und taucht langsam und lustvoll in ausgedehnte Träumereien über die Welteislehre unter.

Die Welteislehre ist seit einem Jahr ihr Lieblingsthema. Der Lehrer der einklassigen Schule ist von dieser Idee besessen. Außer Verdauungsproblemen ist sie offenbar das einzige, was ihn interessiert. So bringt er den Kindern das bißchen Lesen, Schreiben und Rechnen bei, um gleich wieder zu seinen Phantasien zurückzukehren. Fast jeden Tag erfährt Meta etwas Neues über die Welteislehre und trabt freudig zur Schule, um wieder und wieder zu hören, wie der Mond auf die Erde fällt und die schwarzen Wasserfluten hoch zum Himmel reißt. Sie liebt den Lehrer, wie jeden Menschen, der ihr Geschichten erzählt. Auf ihre begeisterten Erzählungen hin fängt auch Mama an, sich mit dieser Sache zu befassen. Also gibt es doch etwas, womit sie ihre widerspenstige Mutter beeindrucken kann. Vater äußert sich eher kühl darüber. Meta versteht das gar nicht, wie kann man sich nicht begeistern für eine so wunderbare Geschichte. Endlich scheint auch er sich dafür zu erwärmen, aber er tut es sichtlich nur Meta zuliebe, und das gefällt ihr nicht. Die Wissenschaft muß man um ihrer selbst willen lieben, verwandtschaftliche Gefühle dürfen da keine Rolle spielen. Bald darauf fängt Mama an, vom Mond zu träumen. Das ist unangenehm, denn sie neigt ohnedies dazu, nachts von kosmischen Katastrophen verfolgt zu werden. Vater sperrt das Buch, das Mama gekauft hat, zu den Klassikern, und Meta behält in Zukunft ihre Gedanken über die Welteislehre für sich.

Einmal verfällt der Lehrer einer neuen Leidenschaft und spricht nur noch von den Tiroler Freiheitskämpfen. Damit kann er bei den Bauernkindern mehr Interesse erwecken. Er liest aus einem Buch vor, das »Der Kaiseradler« heißt, aber bald kehrt er reuig zur Welteislehre zurück und zeichnet Monde und Wasserfluten auf die Tafel. Den »Kaiseradler« schenkt er Meta, weil sie seine Lieblingsschülerin ist. Manchmal drückt er ihren Kopf gegen seine grüne Weste und lobt sie. Meta mag das nicht, er riecht nach Essen und ungelüfteten Kleidern, aber sie rührt sich nicht, um ihn nicht zu kränken. Sie verkriecht sich mit dem zerfledderten »Kaiseradler« auf den Heuboden und verfällt in patriotische Raserei. Abends erscheint sie völlig geistesabwesend und mit roten Ohren bei Tisch und brütet Rachepläne gegen Italiener und Franzosen aus. Sie erstickt fast an ihrem hilflosen Haß gegen diese Teufelsbrut und kann doch mit keinem Menschen darüber reden. Nach ein paar Wochen der Besessenheit erwacht sie wie aus einem bösen Traum. Der »Kaiseradler« bleibt auf dem Heuboden liegen, sie mag ihn gar nicht mehr sehen. Etwas Schreckliches und Dumpfes hat sie gefangengehalten und ihren Kopf verdunkelt. Wie schön ist es, frei von Haß und Rachsucht zu sein! Die Geschichte von Andreas Hofer ist ja traurig, aber sie geht das gar nichts an. Meta ist für alle Zeiten von dieser schrecklichen Krankheit geheilt. Wie ihr Lehrer kehrt sie zur Welteislehre zurück und erbaut sich an schwarzen Wassern und weißen Monden. Wasser und Mond sind weit weg von Haß und Liebe, schrecklich und schön leben sie ihr fremdes einsames Leben.

Onkel Schorsch sitzt im Lusthaus und starrt nachdenklich in das Weinlaub. Metas Auftauchen scheint ihm nicht unwillkommen zu sein. Er hat übrigens immer Zeit für sie und gibt von allen Großen die brauchbarsten Antworten. Er ist geduldig und bereit, ihr alles so lange zu erklären, bis sie es begriffen hat. »Erzähl mir was«, bettelt Meta. Man sieht, wie er nachdenkt. Meta betrachtet sein Gesicht, diese vertraute und merkwürdige Landschaft. Zum erstenmal wird ihr klar, daß sein Kopf recht groß ist, sicher ein Zeichen von Gescheitheit. Aber da Onkel Schorsch ein großer Mann ist, fällt sein Kopf nicht auf. Seine Nase und seine

Ohren sind auch groß in dem viereckigen Gesicht, aber die Brauen sind hoch und fein geschwungen über den runden Augen, und der Mund ist zart wie der einer schönen Frau. Meta entdeckt, daß sein Gesicht aus zwei ganz verschiedenen Gesichtern zusammengesetzt ist, und plötzlich versteht sie den ganzen Onkel Schorsch. Einmal überwiegt der Mensch mit den hohen Brauen und dem schönen Mund, dann schreibt Onkel Schorsch Balladen, malt zarte Aquarelle und erzählt Meta bezaubernde Geschichten, in denen es heiter und zärtlich zugeht. In diesem Zustand ist er seelenvoll, empfindlich und leicht gekränkt. Dann gewinnt wieder der andere Mensch, der mit der starken Nase und den großen Ohren, die Überhand, und Onkel Schorsch benimmt sich recht derb und gebraucht Wörter, die Meta gar nicht kennen dürfte. Aber auch das gefällt ihr, denn sie spürt selber oft den Drang, diese verbotenen Wörter herauszuschreien und, wie Mama sagt, ein ungewaschenes Maul zu haben. Und dann gibt es wieder Tage, an denen die zwei Leute in Onkel Schorsch streiten. Dann ist er ironisch und ungenießbar. Damit kann er sogar den nachsichtigen Vater ärgern. Aber Meta weiß jetzt, er kann nichts dafür. Es muß schrecklich sein, zwei so verschiedene Leute mit sich zu schleppen. Wenn er sich in diesem Zustand befindet, spielt Meta mit ihm das Erweichungsspiel, stellt Fragen und zieht ihn in ihre Netze, bis die starre Maske von seinem Gesicht fällt und er sie zu einem Spaziergang auffordert. Hand in Hand wandern sie dann durchs Tal. Onkel Schorsch erzählt vom Ameisenkaiser, von den Feenschimmeln und vom Nixenkind, lauter Geschichten, die er selber erfindet. Es gibt Büsche und Steine, die wie Fabelwesen aussehen, und Meta ist entzückt, wenn sie beide dasselbe Geschöpf entdecken. Vater und Onkel Schorsch können am allerbesten Geschichten erzählen. Niemals kommt in diesen Geschichten etwas Böses oder Unheimliches vor. Wie sonderbar, daß sie trotzdem nie langweilig sind. Manchmal ist Meta versucht, Onkel Schorsch etwas von ihren Gespenstersorgen zu erzählen, aber sie wagt es nicht. Wie weit weg ist das alles von seiner heiteren Zauberwelt. Es besteht eine stille Übereinkunft zwischen ihnen, nur über angenehme Dinge zu reden.

Meta darf einen Zug aus der Zigarette machen. Es ist eine Ägyptische mit goldenem Aufdruck. Wenn Meta groß ist, wird sie auch rauchen und so interessante gelbe Finger bekommen. Einmal hat sie hinter dem Haus eine ganze Zigarette geraucht, und Vater hat stillschweigend zugesehen. Wahrscheinlich hat er gehofft, es wird ihr schlecht werden und sie wird geheilt sein. Aber es ist ihr gar nicht schlecht geworden. Ein Glück, daß Mama nichts davon weiß. Die Ägyptische riecht sehr angenehm. Meta sieht es gern, wenn Onkel Schorsch raucht, dann fällt ihm immer etwas ein. Heute hat die Zigarette eine besondere Wirkung. Onkel Schorsch richtet den Blick auf Meta, und sie wartet gespannt auf seine Worte. »Schau mich nur an«, sagt er, »fällt dir nichts an mir auf?« Meta schaut und schaut. »Meine Augen!« drängt Onkel Schorsch. »Sind sie nicht anders als die Augen meiner Brüder?« Endlich kommt Meta eine Erleuchtung: »Sie sind gelb«, stellt sie fest. Das ist es: Onkel Schorsch hat gelbe Augen, und die Geschichte, die er Meta jetzt erzählen wird, hängt mit diesen gelben Eulenaugen zusammen. Alle seine Brüder und Tante Helene haben blaue oder blaugrüne Augen. »Sagt dir das nichts, Meta?« Das sagt ihr gar nichts; warum sollte er keine gelben Augen haben, der graue Kater hat ja auch gelbe Augen. Aber Onkel Schorsch rollt diese ganz besonderen Augen und flüstert: »Ich bin nämlich ein unterschobenes Kind.« Er preßt die langfingrige Hand aufs Herz und fährt fort: »Ein Kind von sehr vornehmer Abkunft. Mein wahrer Name ist Conte Giovanni Francispane.« Meta ist starr. »Aber wieso denn, du bist doch immer mein Onkel Schorsch gewesen.« – »Meine Familie hat keine Ahnung«, übergeht er diese Feststellung. »Du darfst auch keinem Menschen ein Wort davon erzählen. Das ist ein Geheimnis unter Freunden. Wir sind doch Freunde, nicht?« Meta nickt beklommen mitten in die gelben Augenräder hinein. »Willst du noch mehr Beweise? Meine Haare sind dunkel, und meine Haut ist olivfarben.« Meta nickt. Was immer olivfarben sein mag, Onkel Schorsch hat wirklich nicht die helle Haut seiner Geschwister. Sie fängt an, ihm zu glauben, und will mehr über diese Sache wissen. Aber mehr kann Onkel Schorsch ihr nicht sagen. Das ist zu gefährlich. Ein Staatsgeheimnis, besonders die Freimaurer und der Vatikan dürfen kein Wort darüber erfahren. Meta kann leichten Herzens versprechen, diesen beiden Institutionen kein Sterbenswort zu verraten. »Wirst du es denn nie bekanntgeben dürfen?« Die breiten Lider senken sich geheimnisvoll. »Später einmal, wenn der alte Conte nicht mehr ist, in seinem Palazzo in Venedig. Dann werde ich in meine Rechte eingesetzt werden, ich, der letzte Francispane.« Das ist ja sehr schön für Onkel Schorsch, aber in Meta erwacht ein böser Verdacht. »Und ich, was wird denn dann mit mir; bist du dann nicht mehr mein Onkel?« Onkel Schorsch ist gnädig gestimmt. »Dich werde ich adoptieren, und wir werden bis zu unserem Tod in dem schönen Palazzo wohnen und jeden Tag auf dem Canale Grande spazierenfahren, in einer Gondel, die mit rotem Samt ausgeschlagen ist.« Und nach einer kleinen Weile: »Aber jetzt, mein Liebling, hol mir bitte einen Krug Most, ich glaube, ich kann heute eine Ballade schreiben.« Meta verschwindet. Onkel Schorsch kann so herrlich geschraubt reden. Das ist natürlich nur ein Spiel, aber diese Art zu reden gehört eben dazu. Ganz sicher ist sie nicht. Schließlich hat er wirklich gelbe Augen und eine olivfarbene Haut. Als sie mit dem Most kommt, sitzt er schon unter dem Birnbaum und spitzt einen Bleistift. Meta stellt Krug und Glas vor ihn hin, und er nickt hoheitsvoll dankend. Meta zieht sich andächtig zurück und ist sehr stolz. Wer immer er sein mag, wer hat schon einen Onkel, der Balladen schreibt?

Den ganzen Vormittag schreibt Onkel Schorsch unter dem Birnbaum. Seine Balladen handeln immer von Ereignissen, die im Forsthaus stattgefunden haben, vom Schwein, das Mama vom Rotlauf kuriert hat, oder wie Tante Wühlmaus der goldene Zwicker in den Abort gefallen ist und man ihn später auf der Wiese wiedergefunden hat. Mama findet, bei seinem Talent könnte er eigentlich würdigere Gegenstände besingen, aber Onkel Schorsch ist darüber gekränkt und behauptet, ein Schwein oder ein goldener Zwicker wären mindestens ebenso wert, besungen zu werden, wie irgendein wildfremder Ritter.

Dies ist ein Tag der Eröffnungen. Am Nachmittag fragt Onkel Fritz Meta, ob sie schon jemals von der vierten Dimension gehört habe. Meta muß zugeben, überhaupt noch von keiner Dimension gehört zu haben. Es zeigt sich wieder einmal, daß man sie ganz dumm aufwachsen läßt. Onkel Fritz ist sonst nicht so mitteilsam, aber das kommt daher, daß er nur Dinge erzählen könnte, die für Kinder unpassend sind. So redet er besonders in Mamas Gegenwart möglichst wenig. Er ist der jüngste und hübscheste der Brüder. Sein Haar hat einen messingfarbenen Glanz, und nur durch jahrelanges Niederbügeln ist es ihm gelungen, es glatt zu bekommen. Meta kann nicht einsehen, warum er keine Locken haben will. Vielleicht kennt er auch das Sprichwort von den krausen Haaren. Von allen Geschwistern ist er der Erfolgreichste und Glänzendste und für Meta eine geheimnisvolle Figur. Sie hat einmal gehört, daß die Weiber ihm die Tür einrennen, und seither sieht sie ganze Prozessionen von Frauenzimmern, die alle nur darauf warten, ihm die Tür einzurennen. Das muß sehr unangenehm für Onkel Fritz sein. Trotzdem sieht er recht gesund und kräftig aus. Meta betrachtet ihn mit scheuer Bewunderung. Er kommt nur immer am Ende seines Urlaubs auf ein, zwei Wochen, wenn er seine Ruhe haben und sich ausschlafen will. Meta merkt, daß alle Geschwister für den jüngsten Bruder eine zärtliche Schwäche haben. Onkel Fritz kann singen, Klavier und Gitarre spielen und natürlich alle Spiele, mit denen seine Geschwister ihn verfolgen. Meta hört ihn gern singen: »Nach Frankreich zogen drei Grenadier« und »Wohl irrt das Waldhorn her und hin; o flieh, du weißt nicht, wer ich bin«. Wenn er singt, ist selbst Mama geneigt, ihn bezaubernd zu finden und seinen Lebenswandel nachsichtiger zu betrachten.

Es ist heiß, und alles schläft hinter vorgezogenen Gardinen. Nur Onkel Fritz kann nicht schlafen, und weil er sich langweilt, weit und breit kein Weib, das ihm die Tür einrennt, fängt er an, Meta die vierte Dimension zu erklären. Er gibt sich wirklich die größte Mühe, und es zeigt sich, daß er ein ebenso guter Erklärer ist wie Onkel Schorsch, aber Meta versteht kein Wort. »Macht gar nichts«, sagt Onkel Fritz liebenswürdig, »eigentlich versteht es ohnedies kein Mensch. Fangen wir noch einmal bei der ersten Dimension an.« Mit Hilfe leerer Zündholzschachteln gelingt es ihm auf zauberhafte Weise, Meta einen schwachen Abglanz der vierten Dimension zu vermitteln. Große Freude über diesen Erfolg; Onkel Fritz behauptet, von Metas Intelligenz entzückt zu sein, und sie verrät ihm, daß sein Rasierwasser sehr angenehm duftet. Gleich darauf hat sie eine Erleuchtung und weiß, wohin die Gespenster immer verschwinden, in die vierte Dimension natürlich. Mutig fragt sie Onkel Fritz, wie er über diesen Punkt denkt. Ihn kann man ruhig derartig gewagte Dinge fragen. Nachdem er sie eine Weile erstaunt aus seinen blaugrünen Augen angestarrt hat, gibt er zu, noch nie darüber nachgedacht zu haben, aber in Zukunft werde er sich damit befassen und ihr dann das Ergebnis seiner Untersuchungen mitteilen. Die Gespenster scheinen seine Stimmung noch gehoben zu haben, denn er wird ungewöhnlich mitteilsam und erzählt Meta die erstaunlichsten Geschichten von Leuten, die sich Morphium unter die Haut spritzen und davon die wildesten Träume bekommen. Er hat eine Art zu erzählen, die den Zuhörer sogleich zu einem Mitwisser und Spießgesellen macht. Meta begreift, das vom Morphium wird sie nicht weitererzählen. Mama würde das gar nicht gern hören. Onkel Fritz raucht eine Zigarette nach der andern. Sogar Meta fällt das auf. »Schadet dir das nicht?« erkundigt sie sich teilnahmsvoll, aber

Onkel Fritz zuckt nur die Achseln. »Was macht das schon, ich werd' so keine vierzig Jahre alt.« Darüber ist Meta gar nicht erstaunt. Vierzig Jahre ist ohnedies ein ziemlich hohes Alter. So wie er da sitzt, mit dem Sonnenglanz auf dem Messinghaar, mit den leuchtenden Augen und den duftenden Wangen, sollte er immer bleiben, hübsch und fröhlich und weit entfernt davon, vierzig Jahre zu sein. »Ich mag auch nicht alt werden«, sinniert Meta, »vierzig Jahre genügt bestimmt.«

Da tritt Onkel Otto aus der Haustür, das Schachbrett unter dem Arm, und läßt den Blick hoffnungsvoll umherschweifen. ›Gibt es irgendwo einen Menschen, der mit mir spielen will?‹ steht auf seinem Gesicht geschrieben. Dann entdeckt er die beiden im Lusthaus, und seine Augen leuchten auf. Onkel Fritz, der weiß, wann er verloren hat, zwinkert Meta vertraulich zu. Das ist ein bißchen verräterisch von ihm. Offensichtlich betrachtet er Meta und sich selber als gleichaltrig und die Großen als kindische Greise. Schon läßt sich Onkel Otto am Tisch nieder und stellt die Schachfiguren auf. Er ist in gehobener Stimmung und sagt etwas Nettes zu seiner Nichte. Aber Meta versteht ihn nicht recht, er hat seinen heimatlichen Dialekt vergessen, weil er schon lange in Deutschland lebt. Das macht die Unterhaltung mit ihm schwierig. Aber auch er hat ein besonderes Talent. Er kann wie kein anderer Gedichte vortragen. Wenn er von der Bahnstation kommt, heiß und verschwitzt, ziehen ihn die Kinder sofort in die Kanzlei, drücken ihn auf den Diwan nieder und betteln: »Onkel Otto, sag ›Des Sängers Fluch‹!« Und er fährt sich mit dem Taschentuch über die Stirn, rollt die blauen Augen, und schon geht es los: »Es stand in alten Zeiten...« Die Kinder stehen Hand in Hand und lauschen der gewaltigen Donnerstimme. Manchmal trifft sie ein Tröpfchen Speichel, denn Onkel Otto schont sich wahrlich nicht. Meta freut sich jedes Jahr auf diesen Augenblick und fühlt sich dann den ganzen Tag feierlich und gehoben. Sonst ist ja mit Onkel Otto nicht viel anzufangen. Er wäscht sein Gesicht mit Kölnischwasser und schläft mit einem Öllicht neben dem Bett. Außerdem trägt er nachts eine Bartbinde. Vielleicht wüßte er eine Menge zu erzählen, nur man versteht ihn schlecht. Manchmal sagt er so komische Sachen wie ›Butterbemme‹ und ›Dunnerlittchen‹. Einmal bringt er eine Waschmaschine für Puppenkleider mit, die man mit Spiritus heizen kann. Kaum hat Mama das Wort Spiritus vernommen, ist die Waschmaschine verschwunden und taucht nie wieder auf. Onkel Otto ist betreten, und weil er Meta leid tut, läßt sie ihn zweimal hintereinander ›Des Sängers Fluch‹ aufsagen. Sie findet, Mama hätte ihr wenigstens zum Schein die Waschmaschine lassen können, bis Onkel Otto wieder abgereist wäre.

Meta betrachtet die beiden Onkel und entdeckt, daß Onkel Otto, der viele Jahre älter ist als Onkel Fritz, im Vergleich zu ihm wie ein harmloses Kind wirkt. Die Großen sind wirklich rätselhafte Geschöpfe. Auch wenn man sie gern hat, weil sie Geschichten erzählen oder angenehm riechen, man weiß nie genau, was mit ihnen los ist. Wie sie die Stirn in Falten legen, den Mund spitzen, die Zunge zwischen die Zähne schieben und eine Zigarette nach der andern rauchen. Und dann entdeckt Meta noch etwas, die beiden Onkel haben sehr viel Fleisch an sich. Nicht daß sie fett wären, sie haben nur eine besondere Art von Fleisch, das zugleich fest und blühend ist. Meta stellt fest, daß sie diese Art

Fleisch mag. Sie möchte die beiden tätscheln wie die Kühe oder Stasis kleine Kälbchen. Die Onkel merken nichts von ihren Gedanken, und darüber ist sie froh, wer weiß, ob es ihnen angenehm wäre, mit Kühen verglichen zu werden. Es ist überhaupt ein Glück, daß die Großen nicht Gedanken lesen können. Meta säße dann in einem schönen Schlamassel.

Die grünen Schatten des wilden Weins zittern um die gesenkten Köpfe der Spieler. Das Lusthaus ist eine dämmrig grüne Höhle. Es ist schon so zugewachsen, daß man beim Eintreten die Ranken von der Tür wegschieben muß. Und kein Mensch stutzt den wilden Wein. Vater ist allen Veränderungen abhold. Das ist oft recht beschwerlich. Weil er nichts von einem Gartenschlauch wissen will, muß die ganze Familie am Abend das Wasser in Spritzkrügen hinter das Haus schleppen und den Gemüsegarten gießen. Mama versucht oft, ihn zu Anschaffungen zu bewegen. Dann sagt er nicht ja und nicht nein und meint, man möge abwarten. Worauf man warten soll, erklärt er nie näher. So wird eben gewartet. Und der Vorschlag wird vergessen, und man kommt nie wieder darauf zurück. Neuheiten kommen eigentlich nur durch die Hausierer ins Forsthaus. Ihnen kann Vater nicht widerstehen. Um seine Ruhe zu haben, kauft er die absonderlichsten Dinge. Eine Kassette mit drei Büchern, lustige Geschichten und Witze. Leider stellt sich heraus, daß es Berliner Witze sind, die man nicht einmal lesen kann. Mama kann nicht feststellen, ob sie unanständig sind, aber sie sperrt sie vorsichtshalber ein. Dann läßt Vater sich einen Elektrisierapparat aufschwätzen, der immerhin etwas Unterhaltung ins Haus bringt. Man kann mit Hilfe von Glasröhrchen einander Funken aus der Nase ziehen, das ist ganz lustig an langen Winterabenden. Auch ein gläserner Kamm ist dabei. Mama liegt im Bett und strählt ihr dunkles Haar. Die Funken sprühen nur so um sie herum, und Nandi quietscht vor Vergnügen. Mama behauptet sogar, ihr Kopfweh werde besser davon. Solche Dinge kauft Vater den Hausierern ab, aber an einen Gartenschlauch ist nicht zu denken.

Dem Herrn Pfarrer ergeht es noch schlimmer als Vater. Weil er fast immer daheim ist, fällt er den Hausierern noch öfter zum Opfer. Manchmal bringt er dann seine Käufe, mit denen er nichts anfangen kann. Ein besonders gewitzter Hausierer verkauft ihm sogar ein ordinäres Buch, das der Herr Pfarrer, weil er es nicht gelesen hat, Mama schenkt. Kein Mensch wagt es, ihn aufzuklären, und Mama schiebt das Buch in den Ofen. Obgleich er seine Landwirtschaft verpachtet hat, ersteht er eine elektrische Sensenschleifmaschine und schenkt sie Vater zum Ausprobieren. Vater hütet sich, das verdächtige Ding zu verwenden und hängt es auf das große Zwölfendergeweih über seinem Schreibtisch, auf dem ohnedies schon eine Menge unbrauchbarer Dinge hängen oder stecken. Die Sensen werden weiterhin mit dem Wetzstein geschliffen. Im Gegensatz zu Vater, der genau weiß, daß er den Hausierern nur aus Schwäche nachgibt und sich darüber ärgert, ist der Herr Pfarrer ehrlich erpicht auf Neuheiten und eine Woche später erbittert über ihre Unbrauchbarkeit. Aber er verliert nie die Hoffnung und stürzt sich voll Eifer in das nächste Abenteuer.

Er ist sehr einsam in seinem großen Pfarrhof und kann nur mit Vater reden, wenn er sein Herz ausschütten will. Wenn die Onkel kommen, wird er zum Tarockspielen eingeladen, aber im übrigen Jahr bleiben ihm nur seine Bücher und die Zigaretten, die er selber stopft. Er ist Kettenraucher und ärgert sich Tag und Nacht über diese Schwäche, und in einer Silvesternacht beschließt er, das Rauchen aufzugeben. Die Zeiten sind schlecht, und mit dem Geld, das er sich so erspart, wird er noch ein armes Kind durchfüttern. Mama nennt dies einen heldenhaften Entschluß. Der Herr Pfarrer hält sein Gelübde, aber er fängt an zu kränkeln und fühlt sich nie mehr wohl. Meta merkt, daß Vater das Gelübde für einen Unsinn hält, die Ärzte kosten mehr als ein paar Zigaretten, aber sie versteht sehr gut, daß der Herr Pfarrer nie wieder rauchen darf. Ein Held muß immer ein Held bleiben, genauso wie ein Heiliger nicht plötzlich unheilig werden kann. Er ist ein Gefangener seiner eigenen Heldenhaftigkeit. Es ist gefährlich, ein Gelübde abzulegen, sie wird sich hüten, es zu tun.

Die Onkel scheinen es übrigens nicht so genau zu nehmen mit der Religion. Sie gehen nur dem Herrn Pfarrer zuliebe in die Kirche und um Mama gefällig zu sein. Der Herr Pfarrer weiß das natürlich, aber er übergeht es vornehm. Mama hingegen nimmt sich kein Blatt vor den Mund.

Eines Tages hört Meta in der Küche Mama und Onkel Otto über die Hölle debattieren. Onkel Otto weigert sich entschieden, an die Hölle zu glauben. »Das wäre ja noch schöner«, sagt er, »Gott ist die Barmherzigkeit.« Das Fegefeuer nimmt er noch hin, die Hölle niemals. Das wäre ja ganz unausdenkbar. Mama sagt ihm, daß seine Gedanken die reine Ketzerei sind. Aber Onkel Otto will lieber ein Ketzer sein als an die Hölle glauben. »Ihr seid eine oberflächliche, leichtsinnige Gesellschaft«, wettert Mama, »zuerst recht angenehm leben und dann noch in den Himmel kommen; nein, nein, daraus wird nichts. Man wird ja noch sehen.« Meta lauscht aufgeregt vor der Tür. Was wird man sehen? Wie die Onkel in der Hölle schmoren? Sie bewundert Onkel Otto für seine Festigkeit. So viel Mut hätte sie diesem liebenswürdigen Mann gar nicht zugetraut. Aber der dunkle Verdacht, daß Mama recht haben könnte, läßt sich nicht vertreiben. Meta setzt sich auf die Stiege und denkt nach. Der liebe Gott ist allgütig, allwissend und allmächtig. So steht es im Katechismus. Und doch schaut er zu, wie die Schweine geschlachtet werden, und er sieht die Rehe steif und blutig im Schnee liegen. Er läßt es zu, daß hinter der schwarzen Eisentür das Grauen lauert, und er tut gar nichts gegen die Gespenster. Entweder ist er allgütig und allmächtig, aber nicht allwissend oder allgütig und allwissend, aber nicht allmächtig. Es gibt noch eine dritte Möglichkeit, aber die will Meta gar nicht in Erwägung ziehen. Die Todesschreie der Tiere machen den weißbärtigen Vater zu einem hilflosen Gott. Und an wen soll man sich dann halten? Alles, was Mama und der Herr Pfarrer ihr über Christus und die Muttergottes erzählt haben, ist an ihr abgeglitten. Für sie hat es immer nur Gottvater gegeben. Und der ist jetzt nicht mehr, was er einmal gewesen ist: ein großer alter Mann in einem weiten Radmantel, der sie auf die Arme nimmt und in einem riesigen Obstgarten unter einem hohen weißen Himmel auf und nieder wiegt; Stille, Weisheit und Geborgenheit. Das Aufhören aller Wünsche und eine Klarheit, in der es keine dunklen Winkel gibt, das Ewige Licht.

Meta sitzt auf der Stiege und trauert um den lieben Gott, um das schöne Licht, das immer weiter von ihr zurückweicht und bald nur noch ein ferner Schimmer in der Finsternis sein wird. Eine große Verlassenheit ist über sie gekommen, die sie von der Welt trennt und alle Freude auslöscht. So sitzt sie und starrt auf die weiße Wand, ohne sie zu sehen.

Einmal ist der kleinen Großmutter der Tod begegnet. Damals, vor vielen, vielen Jahren, wie sie noch klein gewesen ist und die große Typhusepidemie in Krems gewütet hat. Sie liegt in ihrem Bett in der Schlafkammer ihrer Eltern. Alle atmen ruhig, nur sie kann nicht schlafen und starrt in das weiße Mondlicht. Da öffnet sich lautlos die Tür, und eine hohe schwarze Gestalt tritt herein und beugt sich über das Ehebett. Dann geht sie weiter in die Kammer der Geschwister. Am Morgen sind alle krank, und eine Nachbarin holt das kleine Mädchen zu sich. Und nach einer Woche ist sie eine Waise.

Die Großmutter erzählt diese Geschichte nie, aber einmal muß sie sie erzählt haben, denn sonst wüßte ja keiner davon. Sie erzählt überhaupt ungern von sich selber. Es wird behauptet, sie leide an Ahnungen und habe so etwas wie das Zweite Gesicht. Sie selber bestätigt es nicht und lächelt nur auf derartige Fragen. Wahrscheinlich schämt sie sich, es zuzugeben, sie kann überspannte Leute nicht leiden. Eine der Tanten behauptet, sie habe diese böse Gabe geerbt, aber kein Mensch glaubt ihr. Mama sagt, sie will sich nur interessant machen.

Meta ist froh, nicht das Zweite Gesicht zu haben, sie leidet ohnedies genug unter den Gespenstern. Das Zweite Gesicht zu haben würde sie bestimmt auf der Stelle tot umfallen lassen. Auf unbestimmte Weise bringt sie ihr Freisein vom Zweiten Gesicht damit in

Zusammenhang, daß sie Vaters Augen geerbt hat. Es ist nicht recht einzusehen, aber sie hofft fest, daß Leute mit derartigen Augen nie einen echten Geist erblicken werden. Die Gespenster, von denen sie verfolgt wird, macht sie sich selber in ihrem Kopf, das hat sie schon erkannt. Es kommt daher, daß die Nacht sie so verändert und ihr die Vernunft wegnimmt. Sie darf nur nie, auch nicht in der größten Bedrängnis, vergessen, daß es wieder Tag werden muß. Dann kann ihr nichts geschehen. Aber einen echten Geist zu sehen, das könnte sie bestimmt nicht aushalten.

Über Mamas Familie ist nicht viel Erfreuliches zu erfahren. Auf der einen Seite die tyrannischen Gebirgler, auf der anderen unglückliche und melancholische Leute. Man hört von ausgefallenen Krankheiten, Todesfällen, unglücklichen Heiraten und unbestimmten Sorgen. Eine der Tanten sagt, auf der Familie des Großvaters laste ein Fluch. Sie hat es von einer verstorbenen Verwandten. Aber an die näheren Umstände erinnert sie sich nicht. Es muß ein Fall von großer Hartherzigkeit gewesen sein. Meta mag von diesem Fluch gar nichts hören. Sie hofft, daß Mama ihm durch ihre Heirat entkommen ist und ihn nicht vielleicht eingeschleppt hat. Sooft jemand krank wird oder im Stall ein Unglück geschieht, neigt Mama dazu, an den Fluch zu glauben. Dabei muß man in einem so feuchten Graben manchmal krank werden, und auch die Kühe anderer Leute schlucken Nägel oder werden aufgebläht. Viehhalten scheint überhaupt eine einzige Sorge zu sein. Vielleicht hängt es auch damit zusammen, daß Vater und Mama keine Bauern sind und ihnen die Kühe und Schweine immer ein bißchen fremd und unheimlich bleiben.

Einmal geht eine Seuche um, und die Kühe verlieren vor der Zeit ihre Kälber. Das macht ein böser Bazillus. Der Tierarzt meint, Vater solle das Vieh verkaufen und den Stall ein Jahr leer stehen lassen, für ihn wäre es doch nicht ein so großer Schaden wie für die Bauern. Schon hat man sich schweren Herzens dazu entschlossen, als ein altes Männchen auftaucht, ein Bauer aus dem Gebirge. Er hat von dem Unglück gehört und kommt, um es zu wenden. Und weil es ja doch nicht mehr schaden kann und Mama den Fremden nicht kränken will, führt sie ihn in den Stall, zu den zum Tod verurteilten Kühen. Er verhängt die Fenster und bleibt eine Stunde lang allein mit dem Vieh. Dann kommt er wieder heraus und vergräbt etwas unter der Dachtraufe. Mama kann nur mit Mühe ernst bleiben. Der kleine alte Bauer meint, jetzt wäre also alles wieder in Ordnung. Er trinkt eine Schale Kaffee und plaudert ganz alltäglich daher, dann macht er sich still wieder auf den Weg, ein sauberes Männchen, das gar nicht wie ein Zauberer aussieht.

Aber die Kühe verlieren ihre Kälber nicht mehr und müssen nicht geschlachtet werden. Wie es so geht, erfährt auch der Tierarzt davon und ist böse. Genau zu dem Zeitpunkt, an dem die Seuche erloschen ist, hat dieser Wender kommen müssen. Die Vernunft gebietet, ihm zu glauben, aber im Tal wird noch lange darüber geredet. Die Leute halten viel vom Wenden. Es gibt auch Männer, die Blut stillen können, und Personen, die Unheil über ein Haus bringen. Vater sagt, alles muß ganz natürliche Ursachen haben, aber so leicht kann Meta sich nicht damit abfinden. Sie weiß genau, daß es unheimliche Orte gibt, warum müßte sie sich sonst vor der schwarzen Eisentür oder dem Platz hinter dem Haus fürchten? Die Vernunft ist sehr schön, solange die Sonne scheint oder die Lampe brennt, aber in der Dunkelheit weicht sie dem viel älteren Wissen um das Fremde und Böse. Darüber kann Meta nie mit den Eltern reden. Vater würde nur lachen, und Mama käme mit der Religion daher. Vater scheint ja wirklich frei zu sein von allen Ängsten, bei Mama ist Meta nie so sicher. Es ist jedenfalls besser, den Mund zu halten, um nicht in den Ruf der Absonderlichkeit zu geraten. Überhaupt ist das Leben nicht so angenehm, wie es sein sollte. Bei Tag quält Meta das nicht mehr aufzuklärende Mißverständnis mit Mama, und nachts setzen ihr die Gespenster zu. Und dabei soll sie sich nichts anmerken lassen.

Das alles ist besonders im Winter schlimm. Die Wollstrümpfe kratzen sie an den Beinen, und das Tal ist immerzu in bläuliches Schneelicht getaucht. Sogar die Äpfel fangen an, wie Rüben zu schmecken. Im Sommer wird es wieder besser werden, Meta darf nur nicht ihren Ängsten nachgeben. Dann werden die Beine wieder angenehm nackt sein, die Luft wird im Haus hin und her wehen, und wenn Meta nicht streiten will, wird sie einfach in den Wald gehen. Die Onkel und Tanten werden kommen, und das Leben wird wieder leicht und angenehm werden. Sie hat große Sehnsucht nach dieser verspielten Heiterkeit und dem Schwimmen in Behagen, nach freundlichen Gesprächen, die nicht an alten Wunden kratzen, nach Sonne, Wärme und Heugeruch. Im Winter sind die Onkel und Tanten wie gestorben. Man hört nie von ihnen. Meta kann sich nicht vorstellen, daß sie wirklich in den fernen Städten ein Leben leben, von dem sie nichts weiß. Sie versucht sich ihre Gesichter vorzustellen, aber es gelingt ihr nicht, nur an die Augen erinnert sie sich deutlich, diese großen schönen Kugeln, himmelblau, blaugrün und gelb.

Von Zeit zu Zeit wird die Jauchengrube hinter dem Haus geöffnet und die Jauche auf die Wiese getragen. Es muß ein Regentag sein, denn die Sonne würde das gedüngte Gras verbrennen. Je mehr es regnet, desto besser. Die Jauche stinkt fürchterlich, und Mama ist grantig. Berti und die Moser schöpfen die braungelbe Flüssigkeit mit langen hölzernen Schöpfern in ein Faß und tragen das Faß an zwei Stangen auf die Wiese. Eine abscheuliche Beschäftigung. Die beiden tragen ihre ältesten Stallkleider, Wetterflecke und zerbeulte Männerhüte, denn es regnet ja in Strömen. Verbissen und schweigend gehen sie ihrer Arbeit nach.

Meta sitzt am Küchenfenster und schaut ihnen zu. Auch sie ist schlechter Laune, weil es im Haus so stinkt. Es gibt gar keinen Ort, an den man flüchten könnte. Immer wieder schwanken Berti und die Moser ums Haus und verschwinden wie graue Schatten hinter Regengüssen. Was für ein häßlicher Tag. Mama trägt die Jause für die zwei Frauen ins Lusthaus, denn in die Küche kann man sie nicht lassen. Meta wundert sich, daß die beiden überhaupt essen mögen.

Einmal hat Meta in die offene Grube geblickt, und da waren die glitschigen Wände ganz bedeckt mit dikken weißen Würmern. Die leben dort unten in ewigem Gestank und ewiger Finsternis. Mama behauptet, es gehe ihnen ganz gut dort drinnen, der liebe Gott habe sie eben als Jauchewürmer erschaffen. Meta kann das nicht recht glauben. Das hat bestimmt nicht der liebe Gott getan. Sie weiß nicht, soll sie die Würmer bemitleiden oder verabscheuen. Vielleicht ist die Jauchengrube eine Hölle für böse Würmer. Aber Tiere können ja nicht sündigen, hat der Herr Pfarrer gesagt.

Die Würmer beschäftigen Meta sehr. Ob jene anderen Würmer, die die Leichen auffressen, auch so aussehen? Bei dieser Vorstellung sträuben sich die Härchen auf ihren Armen und Beinen. Auch sie werden einmal die Würmer fressen. Aber sie kann es einfach nicht glauben. Bestimmt wird der liebe Gott das nicht zulassen. Oder wird er es zulassen müssen? Nichts ist ja mehr so sicher, wie es einmal gewesen ist. Mama redet über diese Dinge so leichthin, als ginge sie das gar nichts an. Ihr kommt es nur auf die unsterbliche Seele an, und die spürt ja nichts davon, wenn der Leib im Dunkel des Grabes von den Würmern gefressen wird. Das ist für Meta kein Trost. Sie will nicht, daß ihre lieben Arme und Beine sich so gräßlich verändern. Mitleidig streichelt sie ihre glatte Haut, die so bräunlich und lebendig aussieht. Darüber könnte sie stundenlang nachdenken, wenn es nur nicht gar so beklemmend wäre. Auch Kinder können sterben. Überhaupt, wenn man Mama so reden hört, müssen ununterbrochen Leute sterben. Vater vermeidet jedes Gespräch über Krankheit und Tod. Mama sagt ein bißchen verächtlich: »Alle Männer sind Feiglinge und laufen vor dem Tod davon. Es nützt ihnen aber nichts, eines Tages holt er sie doch ein.« Wann immer ein paar Frauen zusammenkommen, reden sie gleich über Krankheit und Auflösung oder über das Kinderkriegen. Wenn aufs Kinderkriegen die Rede kommt, wird Meta allerdings aus dem Zimmer geschickt. So viel hat sie aber doch gehört, daß es eine ganz schreckliche Plage sein muß. Tod und Krankheit hingegen scheinen nicht anstößig zu sein. Meta mag dieses Geflüster nicht, aber sie ist doch neugierig. Die Frauen schauen alle so wissend aus, man merkt, sie reden über Dinge, die sie verstehen. Kommt ein Mann ins Zimmer, sieht man, wie er sich unbehaglich fühlt und sich schnell wieder davonmachen will. Es stimmt also, die Männer wollen nichts von Tod und Krankheit wissen. Sie leben in den Tag hinein, als sollte es immer so weitergehen. Meta versteht das sehr gut. Wenn sie lange genug von gräßlichen Krankheiten, und wie der und jener auf der Bahre ausgesehen hat, gehört hat, flüchtet sie zu Vater in die Kanzlei und fühlt sich gleich weniger beklommen. Hier riecht es nicht nach Todesschweiß, sondern nach Pfeifenrauch, einem angenehm männlichen Geruch, der die Angst vor dem Tod vertreibt.

Nachdem Meta bei wachsendem Trübsinn den Jaucheträgerinnen zugesehen hat, entschließt sie sich, in die Kanzlei zu gehen. Auch hier stinkt es, aber Vater hat den Raum so eingenebelt, daß eine erträgliche Mischung zustande gekommen ist. »Darf ich bei dir sein?« fragt sie. »In der Küche ist es nicht auszuhalten.« Vater sieht von seiner Arbeit auf und nickt. Als er mit dem Rechnen fertig ist, meint er: »Ja, es ist nicht angenehm, aber du mußt dir halt denken, daß die Wiese so gern Jauche hat wie du Schokolade. Und wie das Gras davon wachsen wird.« Es ist wirklich ein Wunder, daß aus der Jauche etwas so Schönes wie Gras werden kann. Vater sagt, die Natur hat das alles sehr weise eingerichtet. Die Erde macht alles sauber und geruchlos, sie verwandelt die Jauche in Gras, und das Gras wird zu Milch und die Milch zu Butter. Alles ist in schönster Ordnung. Das klingt beruhigend. Meta findet zwar, die Natur hätte, wenn sie schon so weise ist, den Gestank vermeiden können, aber sie hütet sich zu nörgeln. Vater kann das nicht leiden. Tut man es, sagt er: »So ist es eben, damit mußt du dich abfinden, basta.« Wie Vater so vor seinem Schreibtisch sitzt, das kleine Lineal in der Hand, dort etwas anhakt, da etwas unterstreicht und schöne runde Zahlen aufs Papier setzt, strömt er Kraft und Ordnung aus. Meta ist ja leider nicht so ordentlich. Vater besitzt einen Aschenbecher aus Buchsbaumholz, der viele angesengte Flecken hat. Meta liebt diesen Aschenbecher. Wenn sie groß ist, wird sie auch einen Schreibtisch haben, ein kleines Lineal und einen Buchsbaumaschenbecher. Sie wird einen Dunstkreis von Ordnung und Vernunft um sich verbreiten und gar nie an traurige und häßliche Dinge denken.

Sie sitzt ganz still auf dem Diwan und stört Vater nicht. Vor den Fenstern rauscht der Regen nieder, und wenn die Jaucheträgerinnen vorüberschwanken, sickert eine neue Gestankswelle durch die Fensterritzen, und Vater zieht heftig an der Pfeife. Mittags ist die Grube geleert, und der Steindeckel wird darüber befestigt. Es stinkt noch zwei Tage rund ums Haus, dann hat der Regen alles in die Erde geschwemmt, und die stille unsichtbare Verwandlung beginnt. Meta beschließt, die Jauchewürmer zu vergessen, und geht dem Steindeckel eine Zeitlang aus dem Weg.

Im Vergleich zur Jauchengrube ist der Misthaufen ein sauberer, wohlriechender Ort. Im Frühling kommen ein paar Taglöhnerinnen und tragen den Mist in kleinen Truhen auf die Bergwiese. Die Truhen tragen sie auf dem Kopf, auf einem kleinen runden Polster. Stolzerhobenen Hauptes, eine Hand in die Hüfte gestemmt, steigen sie den steilen Hang hinauf. Meta bewundert sie sehr. Das ist ein fröhlicher Tag, an dem viel gelacht und viel süßer Tee getrunken wird. Dort, wo der Mist vom Regen ausgelaugt ist und in die Erde sickert, wachsen Enzian, Goldklee und duftende Kräuter. Wenn Meta sie in der Hand zerreibt und dazu riecht, wird sie ganz verrückt und möchte vor Freude radschlagen und sich im Gras wälzen. Sie versäumt nie, beim Heuen dabeizusein. Mitten in der Bergwiese stehen Birken- und Lärchengruppen, und in ihrem Schatten geht die Mostflasche von Mund zu Mund. Meta hat eine eigene Flasche mit Himbeersaft mitbekommen; wie sie vermutet, hauptsächlich weil Mama nicht will, daß sie mit den Holzknechten aus einer Flasche trinkt, wegen der Bazillen. Auch Vater ist ganz glücklich, obwohl ihm der Schweiß vom Gesicht rinnt. Meta kann den Großen nicht helfen, sie hielte sie nur bei der Arbeit auf. So sitzt sie im Schatten der Lärchen und spielt mit Birkenrinden und Zapfen. Die Bergwiese ist der schönste Ort auf der ganzen Welt, und immer hier zu leben wäre das Glück. Wenn das Heu trocken ist, darf Meta auf den großen Bündeln zu Tal fahren und schreit vor Vergnügen, wenn ihr der Fahrtwind den Kopf zurückreißt. Später sitzt sie ein wenig schwindlig unter dem wilden Kirschenbaum und sieht zu, wie das Heu in den Stadel geworfen wird. Das Gesumm der Berghummeln im Ohr, die Nase voll süßer Gerüche, wird sie müde und schläfrig. An diesen Abenden lassen sich die dummen Gespenster nicht blicken, Meta denkt nicht eine Minute an sie. Es hat sie überhaupt nie gegeben.

Der Sommer ist lang und heiß. Selten einmal gibt es ein Gewitter und einen Wolkenbruch. Dann sind alle bedrückt und starren hinunter zum Bach, der drohend angeschwollen ist und zum zehntenmal das Gemüsebeet des Schusters mit sich gerissen hat. Alle bewundern den Schuster, weil er seit Jahren immer wieder seinen Garten an einer so hoffnungslosen Stelle anlegt, geduldig und unverdrossen. Freilich, er hat ja auch kein anderes ebenes Stück Land, nur Bergwiesen. Die Nebel hängen ums Haus, und die Bäume triefen vor Nässe. Vater schweigt, und zwischen seinen Brauen steht eine Falte. Meta mag den Regen nicht, gleich ist alles so düster und traurig, und die Großen sind vergrämt. Sogar Nandi ist lästig und haut seinen Micherl, das unglückliche Stiefkind. Dann bleibt Meta nichts übrig, als sich zu den Büchern zu flüchten, bis endlich die Nebel aufsteigen und die Sonne über das glänzende Tal hereinbricht. Metas Sohlen sind inzwischen von hundert kleinen Verletzungen geheilt und freuen sich darauf, in den großen Wasserlachen herumzuplanschen. Und sie vergißt den Regen, als habe es ihn nie gegeben.

An manchen Tagen erwacht Meta voll unbändiger Arbeitslust. Dann sammelt sie Steine in der Wiese, die im Winter vom Berg heruntergerollt sind, oder sie schleppt Stauden vom Waldrand herab, und ihr größter Kummer ist, daß man sie nicht so schwer arbeiten läßt, wie sie möchte. Mama sagt: »Du mußt immer übertreiben; entweder du bist stinkfaul, oder du bringst dich halb um.« Dabei hat Mama wirklich keine Ursache, sich über Metas Unvernunft zu wundern. Oder sind vielleicht die großen Putztage vernünftig, die sie immer veranstaltet? Das ganze Haus wird ausgeräumt, und Mama klopft mit fröhlichem Grimm im Hof die Matratzen. Vater geht ins Revier, und auch der Adjunkt verschwindet irgendwohin. Die Kinder schlagen auf den Betteinsätzen Purzelbäume, und zu Mittag essen alle Eierspeise. Mama setzt sich gar nicht hin, denn sie ist so müde, daß sie nicht wieder aufstehen könnte. Dabei ist sie so kleinwinzig, es ist nicht zu fassen, woher sie die Kraft nimmt. Sie treibt Berti und die Moser an und schleppt selber Möbel auf den Hof, und wenn sie könnte, trüge sie bestimmt die Hauswand ab, um sie Stein für Stein zu waschen. Am nächsten Morgen ist sie ganz gebrochen und kriecht mühsam in die Küche. Der herrliche Arbeitsrausch ist vorbei, und der Katzenjammer fängt an. Meta ahnt, was in Mama vorgeht, aber sie schweigt. Mama kann kein Lob vertragen; Tadel natürlich noch weniger. Es ist ein Rätsel, was sie wirklich möchte.

Wenn eine Zeitlang alles still und friedlich ist und sie sich schonen könnte, schleppt sie die Tuchenten vors Haus und wäscht die Federn. Eine widerliche Arbeit, bei der sie dauernd husten muß. Einmal schneidet sie sogar die Matratzen auf, wäscht das Roßhaar und näht neue Matratzen. Ihre Finger sind nachher zerschunden von der dicken Nadel, und die Matratzen sind jetzt ein wenig bucklig, aber sie ist sehr stolz darauf. Das Sonderbare daran ist aber, daß Mama nicht nur stolz auf ihre Arbeit ist, sondern gleichzeitig erbittert über die Mühe, die sie sich antut. Dabei wäre jeder froh, wollte sie ein wenig Ruhe geben. Vater schläft genausogut auf alten Matratzen und unter ungewaschenen Federn. Freilich, er kann ins Revier gehen, wenn Mama von der Arbeitswut überfallen wird, Meta aber muß alles mit ansehen und weiß genau, wie es enden wird: mit Mamas völliger Erschöpfung. Sie fürchtet das unbegreifliche Schuldgefühl, das sie überkommt, wenn Mama so wild arbeitet, so als wäre es eigentlich ihre Sache, Federn zu waschen und Decken zu klopfen. Dabei läßt

Mama sich nicht einmal helfen, und sie würde auch dann noch schuften, wenn man ihr einen Riesensack voll Geld schenken wollte.

Geld ist übrigens auch eines der großen Rätsel. Meta weiß nie, wie es darum bestellt ist. Reich sind ihre Eltern nicht, das hat sie schon begriffen, aber es ist immer alles vorhanden, was man zum Leben braucht. Manchmal sitzt Mama über ihrem Wirtschaftsbuch und brütet. Dann lacht Vater und sagt: »Aha, das wird wiederum Diverses sein.« Meta weiß nicht, was ›Diverses‹ ist. Die Eltern reden vor den Kindern nie über Geld. Meta vermutet, daß Geld etwas leicht Anrüchiges und Unanständiges ist. Manchmal sind Vater und Mama bedrückt, und dann ahnt Meta Geldsorgen dahinter. Aber was soll sie tun? Sie kann doch nicht sagen: »Haben wir vielleicht kein Geld mehr?« Schon der Gedanke daran läßt sie erröten. Gleich darauf sind sie wieder guter Laune, also muß doch Geld vorhanden sein. Vater redet überhaupt nie über diese Dinge. Geld ist sichtlich eine peinliche Sache, die nur die Großen angeht. Meta beschließt, nicht darüber nachzudenken. Es gibt immer viel zu essen, zu Weihnachten ganze Berge Bäkkereien, und schließlich hat auch jeder genug anzuziehen. Ob die Kleider schön sind, weiß Meta nicht, sie hat ja keine Vergleichsmöglichkeiten, jedenfalls sind sie schöner als die der Leute aus dem Tal. Die Kinder bekommen nie Geld in die Hand, nur im Sommer schenken ihnen die Onkel ab und zu einen Schilling. Dieses Geld wird dann auf dem Kirtag vertan. Alles ist in schönster Ordnung. Nur ganz selten verursacht der Gedanke an das Geld Meta ein leichtes Schwindelgefühl, es ist doch unheimlich, wenn man von einer Sache gar nichts weiß.

Aber Meta hat viel ernstere Sorgen. Manchmal sagt Vater etwas zu Mama, und die schnappt zurück, und gleich tun sie beide, als wäre gar nichts gewesen. Es wird nie laut gestritten. Wenn Vater böse wird, schweigt Mama, aber nicht ergeben und demütig, keine Spur, sie wartet nur darauf, mit Vater allein zu sein. Meta vermutet, daß die Eltern im Schlafzimmer streiten. An manchen Tagen spürt sie deutlich die Gereiztheit zwischen ihnen und hat große Angst. Einmal, wie sie noch ganz klein gewesen ist, sind die Eltern aufeinander böse gewesen. Sie erinnert sich nicht an die Worte, aber an den Tonfall, der sie damals erschreckt hat. Das ist schon lange her, aber eine gewisse Unsicherheit ist geblieben, und die Angst, Vater und Mama könnten einander hinter verschlossenen Türen böse Dinge sagen.

Und das Schlimme daran ist, daß sie, Meta, die Ursache dieser Gereiztheit sein könnte. Dann möchte sie lieber gar nicht auf der Welt sein. Dabei spielt sich alles hinter ihrem Rücken ab, und sie darf sich nicht einmal anmerken lassen, daß sie etwas von den Zwistigkeiten bemerkt hat.

Meta sitzt ganz allein in der Küche. Die Eltern sind oben im Schlafzimmer. Man hört ihr gedämpftes Gemurmel durch die Decke. Meta weiß, sie streiten ihretwegen. Warum hat Vater auch gerade zur Tür hereinkommen müssen, wie sie die Ohrfeige erwischt hat? Sie ist ja gar nicht gekränkt gewesen über die Ohrfeige, nur ganz schön zornig. Aber Vater kann nicht sehen, daß Mama sie ins Gesicht schlägt. Natürlich ist sie frech gewesen, aber erst nach langen, aufreizenden Reden Mamas. Wenn Vater doch die Nagelschuhe angehabt hätte, daß Mama ihn auf dem Gang hätte hören können. Vielleicht hätte sie aber die Ohrfeige nicht mehr abbremsen können. Jetzt ist oben alles still, mein Gott, was wird denn jetzt geschehen? Wahrscheinlich überlegen sie, was sie einander noch Böses sagen könnten. Und sie ist schuld daran. Die Sonne scheint in die Küche, und das macht alles noch viel ärger. Es müßte regnen und stürmen. Diese Teilnahmslosigkeit tut weh. Wer kümmert sich überhaupt um Meta, wer braucht sie schon? Wäre sie nicht auf der Welt, müßten Vater und Mama nicht streiten. Sie mag überhaupt nicht mehr dasein.

Auf dem Tisch liegt das große Fleischmesser. Meta tastet danach und läßt es spielerisch über ihr Handgelenk gleiten. Wenn man noch ein Kind ist, stirbt man meistens nicht von allein. Sie müßte sich die Adern aufschneiden wie Petronius. Das hat ihr damals an Quo Vadis besonders gefallen. Das Messer ist scharf und tut ein bißchen weh, eine Reihe winziger roter Tropfen springt aus ihrer Haut. Die Adern schimmern zart und bläulich, aber man müßte richtig tief hineinschneiden. Jetzt tut es schon mehr weh, und ein feines Rinnsal Blut sickert heraus. Plötzlich ist ihr Kopf ganz leer vor Angst. Es ist gar nicht wahr, sie will nicht tot sein, und sie will nicht von den dicken weißen Würmern gefressen werden. Vater und Mama werden sich versöhnen, und sie wird eine Zeitlang braver sein. Entsetzt sieht sie das Blut auf ihre Schürze tropfen, dann rennt sie hinaus zum Brunnen und hält die Hand unter den kalten Wasserstrahl. Mühsam bindet sie sich ein schmutziges Taschentuch um den Schnitt. Sie sitzt auf dem Brunnenrand und versteht gar nicht, was geschehen ist. Da war ein schwarzes Loch, in das man sie hineinstoßen hat wollen. Sie schüttelt benommen den Kopf und geht zu Berti in den Stall. Der Anblick von so viel Wärme und Leben beruhigt sie ein bißchen.

Abends scheinen die Eltern wieder gut zu sein. Metas Wunde, sie sagt, sie hat sich an einem Span gerissen, wird mit Jod betupft, das tut heute wirklich sehr weh. Meta ist froh darüber, alles ist ihr recht, wohl tun oder weh tun, wenn sie nur nicht in das schwarze Loch springen muß. Sie möchte zu Vater sagen, mach dir nichts draus, ich kann eine ganze Menge Ohrfeigen vertragen, ich halte sie ganz leicht aus. Aber das geht natürlich nicht. Sie sieht, er ist ihr nicht böse, aber das ist er ja nie. Er kann sich einfach nicht vorstellen, daß Meta kein liebes kleines Mädchen sein sollte. Seine gleichbleibende Güte und Nachsicht sind schuld an ihrem chronisch schlechten Gewissen. Wenn er sich nur heraushalten möchte aus den Auseinandersetzungen zwischen Mama und ihr. Davon versteht er ja Gott sei Dank gar nichts. Es gibt heftige Gefechte, scheinbare Versöhnungen, in denen schon wieder der Keim zu weiteren Kämpfen steckt, und manchmal, sehr selten, einen ehrlichen Waffenstillstand und Mamas duftende Wange einen Herzschlag lang an der ihren. Wie merkwürdig, daß eine so kratzbürstige Frau so gut riechen kann.

Tugendhaft sitzt Meta beim Abendessen. Der Schnitt brennt noch immer unter dem Pflaster. Später macht sie sich erbötig, das Geschirr abzutrocknen, und Mama betrachtet sie argwöhnisch und vermutet eine neue Teufelei dahinter. Aber Meta bleibt aufreizend sanft und freundlich, bis Mama sichtlich verwirrt ist. Vater nickt erfreut, und das heißt: siehst du, ich hab' doch recht, sie ist ein braves kleines Ding. Wenn Meta nur immer so den Mund halten könnte zu Mamas Worten.

Wie schön ist es, edel und großmütig zu sein! Plötzlich merkt sie, es stimmt gar nicht; es gibt nichts Öderes, als edel und großmütig zu sein. Mama wird keine Ruhe geben, und Meta wird wütend werden und sie in Stücke reißen wollen. Dann wird Meta frech sein, und Mama wird zuschlagen. Jetzt weiß sie endlich, was sie wirklich möchte: Mama in kleine Stücke reißen, sie schnell wieder zusammensetzen und ihr um den Hals fallen. Mama scheint leider nicht so zu empfinden, sie zeigt keinerlei Neigung, der gezüchtigten Tochter um den Hals zu fallen. Wohin soll denn das alles führen? Vielleicht wird es besser sein, wenn sie einmal aus dem Haus kommt. Dann wird Vater seine Ruhe haben, und Mama wird nicht mehr streiten können, denn Nandi kommt als Partner für den Krieg nicht in Frage. Meta hofft ganz leise, daß Mama sie dann vermissen wird. Recht geschieht ihr, kein Mensch soll mehr mit ihr streiten. Ein sehr fades Leben wird sie dann führen.

Ordentlich und mit der größten Überwindung legt Meta den letzten Löffel in die Lade und hängt das Tuch auf. Sie ist so müde, als hätte sie stundenlang Holz geschleppt. Nein, lieber möchte sie jeden Tag eine Ohrfeige einstecken als noch einmal so unnatürlich brav sein.

»Ab heute«, sagt Mama, »wirst du nicht mehr mit den Buben herumlaufen. Du bist schon zu groß und mußt endlich mit den Mädchen gehen. Was sollen denn die Leute von dir denken?« Meta ist es ganz egal, was die Leute von ihr denken. Auf keinen Fall mag sie mit den Mädchen in die Schule gehen. Diesmal gibt es sogar Tränen, aber Mama bleibt hart, und Meta muß wirklich mit den Mädchen gehen. Das Leben wird grau und langweilig. Die Mädchen sind ganz unbrauchbar, sie wissen keine Spiele, klettern nicht in den Felsen und stehlen keine Rüben. Anderseits wissen sie Dinge, die Meta in Staunen versetzen. Sie sind überhaupt keine richtigen Kinder, sondern ganz erwachsene Frauenzimmer, die sich verkleidet haben.

Es dauert keine Woche, und Meta erfährt, wo die kleinen Kinder herkommen. Sie hat nie an das Märchen vom Storch geglaubt, aber der Gedanke ist ihr neu, daß die Kinder irgendwie in die Mutter hineinkommen müssen. Sie ist immer so beschäftigt gewesen mit anderen Dingen. Jetzt weiß sie also die Wahrheit. Entsetzt und niedergeschlagen geht sie sofort nach der Schule zu Berti in den Stall und erzählt ihr die große Neuigkeit. Und Berti, die doch so gescheit ist, benimmt sich sehr merkwürdig, wird rot und verlegen und verfällt in die Schriftsprache. In geschraubten Sätzen rät sie Meta, ihre Mutter zu befragen. Als ob man Mama eine so grausliche Geschichte erzählen könnte. Meta wird sich hüten. Am Ende ist alles erlogen, und Mama wird glauben, ihre Tochter habe es erfunden. Sie ärgert sich ohnedies immer über Metas Flunkereien. Enttäuscht verläßt sie Berti und verkriecht sich in ihr Zimmer. Das ist es also, was die Männer und Frauen in den Klassikern miteinander treiben. Kein Wunder, daß die Dichter sich so unklar ausdrücken; oder haben sie selber nichts Genaues gewußt, weil sie nie mit Mädchen zur Schule gegangen sind? Meta ist in großer Bedrängnis und rennt im Zimmer hin und her wie ein eingesperrtes Tier. Es gelingt ihr nicht, Ordnung in ihre Gedanken zu bringen, und schließlich kniet sie auf den Bettvorleger hin und betet zum Heiligen Geist. Und wirklich, sie wird erleuchtet und versteht mit einem Schlag alles. Vater und Mama müssen das Abscheuliche ja auch zweimal getan haben, sonst wären sie und Nandi nicht auf der Welt. Endlich versteht sie, warum Kinder ihren Eltern dankbar sein müssen. Sie wird ganz taktvoll sein und die beiden nie erinnern an das große Opfer, das sie für ihre Kinder gebracht haben. Zaghafte Freude keimt unter dem Entsetzen auf. Meta darf diese Geschichte wieder vergessen. Sie ist jetzt eine Erwachsene und muß sich würdig benehmen. Entschlossen steigt sie hinunter in die Stube. Mama stellt gerade die Suppe auf den Tisch. Und da tut Meta etwas ganz Ausgefallenes, sie küßt ihre Eltern gemessen auf die Wange und setzt sich still hin. Vater lächelt erstaunt, und Mama denkt sichtlich scharf darüber nach, was sie verbrochen haben könnte. Aber sie vergißt zu fragen, und Meta benimmt sich weiterhin sittsam und erwachsen.

Am Nachmittag liest sie das Dschungelbuch, ein Geschenk von Tante Wühlmaus, zu Ende und vergißt, was sich vormittags ereignet hat. Aber am nächsten Morgen geht sie wohl mit den Mädchen weg, läßt sie aber bald wortlos stehen und wartet auf die Buben. Sie wird freudig begrüßt und nimmt ihr altes Leben mit Rübenstehlen, Raufen und Felsenklettern wieder auf. Sie will mit diesen kleinen Frauenzimmern nichts zu tun haben, sie gehört zu den Buben, und heute nach der Schule wird sie ihnen aus dem Dschungelbuch erzählen und andächtig bestaunt werden.

Leider mißtraut Mama den Buben von jeher, besonders aber dem schwarzen Peter. Seine Geschichte ist sehr sonderbar, er soll gar nicht das Kind seiner Eltern sein, sondern ein Zigeunerbub, den sein Vater gegen ein kleines Mädchen vertauscht hat. Näheres ist darüber nicht zu erfahren, denn die Großen verstummen sofort, wenn Meta auftaucht. Sicher ist aber, daß Meta nicht mit dem schwarzen Peter spielen soll. Sie bringt es aber nicht fertig, er ist ohnedies schlecht dran, weil er anders ist als die übrigen Kinder und oft verspottet wird. Plötzlich verschwindet Peter von einem Tag zum andern, und es heißt, er ist in einem Erziehungsheim. Meta findet das recht unwahrscheinlich, vielleicht haben ihn die Zigeuner geholt, und er darf ein freies lustiges Leben führen und Erdäpfel auf dem Feld braten. Mama sagt, der Peter hat gestohlen, aber Meta kann das nicht so schlimm finden. Überhaupt geht es ungerecht zu auf der Welt; wegen ein bißchen Stehlens wird man gleich eingesperrt, aber ein Schwein darf man ungestraft in den Hals stechen.

Immer wieder muß sie sich von Mama sagen lassen, daß sie leider auf alles Schlechte fliegt. Daran ist entschieden etwas Wahres. Es gibt da einen Musterknaben, den Schröckl-Franzi, und ihn hält Mama für den passenden Umgang. Aber Meta mag ihn nicht und weigert sich, mit ihm zu spielen. Sein bleiches, braves Mondgesicht macht sie ganz rasend. Der arme Franzi kann gar nichts dafür, aber immer wieder zu hören: »Nimm dir ein Beispiel am Schröcklbuben!«, bringt Meta dazu, ihn zu verabscheuen. Einmal beugt er sich nieder, um sein Schuhband zu knüpfen, da versetzt Meta ihm einen Tritt in den Hintern, daß er auf die Nase fällt und heulend davonrennt. Damit hat er ganz ausgespielt bei Meta. Sie würde in einem solchen Fall nie weinen, sondern sich umdrehen und dem Angreifer die Ohren ausreißen. Meta geht Franzi aus dem Weg, und dieser Feigling scheint noch froh darüber zu sein.

Aber Mama kann ja keine Ruhe geben. Metas Vorliebe für wilde Buben scheint ihr wirklich Sorge zu machen. Meta will nicht, daß Mama sich sorgt, aber sie kann sich auch nicht ändern. Man bleibe ihr vom Leib mit Schröckl Franzi und ähnlichen Tugendbolden. Überhaupt geht es keinen Menschen etwas an, wen Meta mag oder nicht. Vater ist da viel vernünftiger, er kümmert sich nicht um diese Dinge. Wahrscheinlich will er auch gar nichts Unmögliches von ihr verlangen. Sie hat bemerkt, daß er einmal den bleichen Franzi mit Mißfallen betrachtet hat. Also ist sie nicht im Unrecht. Metas Abneigung gegen allzuviel Bravheit überträgt sie auch in die Bücher. Derzeit sind ihre Lieblinge der böse James Steerforth und der zynische Baron Fink. Der Baron ist der einzige Lichtblick in ›Soll und Haben‹, einem ansonsten sehr langweiligen Buch, in dem immer nur von Geld die Rede ist. Mama lobt diese Geschichte über den grünen Klee. Es ist fast nicht auszuhalten. Dabei ist der brave Anton nichts als ein zweiter Schröckl Franzi. Zu den bösen Lieblingen gehört immer noch Heinrich Heine, den Mama unverdrossen aus dem Hinterhalt bekämpft. Sie kommt ihm aber nicht bei, weil er immerhin ein Klassiker ist und obendrein Vater und Tante Wühlmaus auf seiner Seite hat. Abends im Bett unterhält Meta sich oft mit Heinrich Heine und ist entzückt von seinen boshaften, geistreichen Bemerkungen. Auch er kann den Schröckl-Franzi nicht ausstehen.

In der letzten Zeit hat Meta eine Entdeckung gemacht. Jeden Abend liest Vater ein Buch von einem Mann mit dem komischen Namen Roda Roda. Es ist unvermeidlich, daß sie ihre Nase hineinsteckt und jubelnd eine verwandte Seele erkennt. Ein zäher, erbitterter Kampf beginnt. Abends liest Vater das Buch, und morgens versteckt Mama es im Kasten und zieht den Schlüssel ab. Bald fängt Vater an sich zu ärgern, wenn er täglich seinen Roda Roda unter Nachthemden und Unterhosen suchen muß, und er grollt leise, aber drohend. Schließlich versucht er, Mama von Roda Rodas Harmlosigkeit zu überzeugen, und liest ihr, während sie bügelt, daraus vor. Dabei erstickt er fast vor Lachen, und das ist nicht gut für Metas Sache. Mama ist erst recht davon überzeugt, daß ein Buch, das Vater zum Lachen bringt, für Meta ganz unpassend ist. »Aber ich bitte dich«, sagt Vater beschwörend, »sie versteht ja kein Wort davon.« – »Da kennst du deine Tochter schlecht«, zischt Mama, »je zynischer und unanständiger ein Buch ist, desto besser gefällt es ihr.« Vater ist verletzt. Wie kann man sein Kind nur so verkennen? Schließlich wird Mama wütend und wirft Meta das Buch an den Kopf. »Da nimm nur, du neugieriger Fratz, Vater wird schon noch sehen, was für ein Früchtchen er sich erzogen hat.« Es ist ein Sieg, an dem Meta keine Freude hat. Freilich, der Roda Roda ist errungen, aber um welchen Preis. Wie furchtbar schwierig dieses Leben ist. Eine Woche lang ist Meta brav und hilfsbereit, um Mama zu versöhnen. Den Roda Roda liest sie nur in entfernten Winkeln, um ja Mama ihre Niederlage nicht taktlos vor Augen zu führen. Aber je mehr Meta um Mama wirbt, um so kratzbürstiger wird die. Und dann kommt es endlich zu einem handfesten Krach. Meta steckt, ohne zu zucken, ein paar Ohrfeigen ein, und die Luft ist gereinigt. Jetzt kann sie mit gutem Gewissen Roda Roda lesen, denn die Ohrfeigen waren unverdient. Offenbar reizt eine brave Tochter Mama genauso wie eine schlimme. Ein Glück, daß es Nandi gibt, der Mama so schön ablenkt. Nandi ist meistens brav, aber von einer Bravheit, die Meta nicht gegen ihn aufbringt. Er ist wenigstens jähzornig, und seine Anfälle muß man fast fürchten. Aber das kommt selten vor, meistens ist er sanft, verschlafen und zärtlich. Und längst ist er ein brauchbarer Spielgefährte geworden. Meta kann ja nur auf dem Schulweg mit anderen Kindern spielen. Mama achtet genau darauf, daß sie zur Zeit heimkommt. Einmal hat sie die Tochter sogar mit einer Rute heimgetrieben, eine Demütigung, die Meta zwei ganze Tage nicht verziehen hat. So wird Nandi immer lebenswichtiger, das einzige Kind, das ganz zu Meta gehört. Immerzu kann sie ja nicht lesen, und dann ist es gut, ihn zur Hand zu haben. »Schau«, sagt sie, »hinter dem Birnbaum lauert ein Tiger, den schleichen wir jetzt an.« Und, o Wunder, Nandi sieht den Tiger, er sieht ihn so deutlich, daß Meta schließlich selber das gefleckte Fell ihres Geschöpfes leuchten sieht. Erst Nandi macht mit seinen Augen lebendig, was Metas Hirn entsprungen ist. Und wo bliebe Nandi ohne Meta, er kann ja nicht einmal einen Käfer erfinden. Sie wollen auch bald nur noch miteinander spielen. Wenn Gäste kommen und ihre Kinder mitbringen, geraten die beiden in Verlegenheit. Was kann man denn schon mit diesen dummen Stadtkindern anfangen. Wenn Meta sagt: »Dort sitzt ein Tiger«, lachen sie und sagen: »In Österreich gibt es keine Tiger.« So verstecken Meta und Nandi sich lieber auf dem Heuboden und lassen sich nicht mehr blicken. Mama ruft ganz laut Meta, Nandi, Meta, Nandi, aber die zwei denken gar nicht daran, sich zu rühren. Ins Heu gekuschelt, den warmen, süßen Duft in der Nase, hocken sie auf den Fersen und schauen durch das kleine Guckloch in den Hof hinunter. Kein Mensch sucht sie auf dem Heuboden, denn er ist verbotenes Gebiet, wegen der Futterschneidmaschine. Aber Meta kann nicht alle Gebote beachten, sie ist groß genug, um Nandi zu beschützen. Nandi kichert glückselig über den Streich, den sie den Fremden spielen, und über Metas spöttische Bemerkungen. Endlich gehen die Gäste mit ihren Schafskindern weg, und Meta und Nandi klettern vom Heuboden und spielen brav im Roßstall, wo Mama sie am Abend findet. Sie haben keine Rufe gehört, überhaupt gar nichts. Meta hat schon wieder gelogen, aber sie kann die Lüge nicht bereuen, denn sie muß sich und Nandi ihre warme kleine Welt erhalten. »Wir mögen keine fremden Kinder«, verkündet Nandi in aller Unschuld. »Das hast du ihm eingeredet«, sagt Mama ärgerlich, aber Nandi schlägt seine dunkelblauen Augen zu ihr auf, und Meta sieht, wie Mama innerlich zerfließt. Meta versteht plötzlich sehr gut, was geschieht, und in diesem Augenblick hat sie Mama sehr gern.

Unzählige Hähnchen haben in diesem Sommer ihr Leben gelassen. Meta mag keine Hähnchen mehr essen, denn sie hat etwas Schreckliches gesehen. Hinter dem Haus hat Berti zwei von Nandis Lieblingen auf dem Hackstock geköpft, aber sie waren gar nicht richtig tot und sind noch bis zur Bachwiese geflattert, zwei stumme flügelschlagende Gespenster. Berti hat gesagt, das sind nur die letzten Zuckungen, und sie spüren nichts davon. Aber woher will Berti das wissen? Es muß grauenhaft sein, ohne Kopf herumzuflattern. Vielleicht sind alle Geköpften nicht gleich tot, deshalb gehen sie auch gern als Geister um. Ein Glück, daß Nandi es nicht gesehen hat, Meta wird ihm nichts davon erzählen.

Die Onkel und Tanten werden bald wegfahren und in den fernen Städten ihrer Arbeit nachgehen. Onkel Schorsch wird seinen Schülern Mathematik beibringen, Onkel Fritz wird sich mit Chemie befassen, Onkel Otto wird den großen Park in Dresden betreuen, und Tante Helene wird wieder auf dem böhmischen Schloß sitzen, ihren Baronessen Ratschläge erteilen und mit ihnen Festung spielen. Dann trauert das Haus ein bißchen um das lustige Treiben. Mama ist ganz schlank geworden, und ihr Gesicht ist klein und erschöpft. Zwei Wochen lang ist das Leben gedämpft, und die Eltern gehen ganz früh zu Bett. Meta muß wieder zur Schule und lauscht der Welteislehre; das Obst wird gepflückt, und Vater steht tagelang in seiner grünen Schürze vor der Mostpresse. Die Kinder bekommen Bauchweh vom süßen Most und werden jeden Tag von Wespen gestochen, und Mama kocht in einer riesigen Kasserolle Powidl.

Dann kommt die Erdapfelernte und die Hirschbrunft, und Vater wird zwei Wochen mit den Jagdgästen in der Hütte leben. Man wird bis Allerheiligen Wild essen und später Schweinefleisch, denn die letzte Stunde des Schweins hat geschlagen. Blutig ist der Herbst und läuft nur langsam in die Adventszeit aus, in der Mama am Herd steht und die sechsunddreißig Sorten Bäckerei bäckt. In den Rauhnächten geht Vater mit einer Schaufel voll Holzkohle und Weihrauch das Haus ausräuchern. Er steigt vom Stall bis hinauf zum Dachboden, aber das Haus bleibt heidnisch und verdrossen. Meta weiß das längst, aber sie verrät es nicht. Wie sollte es auch anders sein? Im Jänner liegt ja schon wieder das tote Wild aufgereiht vor dem Keller. Es riecht nach Blut und Fleisch, wie kann da das

Haus fromm und christlich werden? Ein bißchen Weihrauch nützt ihm gar nichts.

Erst nach den Jagden wird Mama zur Ruhe kommen und anfangen sich zu erholen. Und wozu? Nur um im Sommer wieder stark zu sein, wenn die vielen Gäste anrücken. Aber das alles wird erst sein. Jetzt ist der Sommer zu Ende, das Mostpressen ist sein letzter fröhlicher Ausläufer.

Meta zieht sich zu den Büchern zurück. Sie darf jetzt schon ein paar Klassiker gleichzeitig lesen. Mama ist müde und achtet nicht darauf, ob jedes Buch gleich zurückgestellt wird. Meta hat im Sommer ein kleines Büchergestell bekommen, das einzige Möbelstück, das ihr gehört und von dem sie sich nie trennen wird. Da stehen sie jetzt, David Copperfield, das Dschungelbuch, die Märchenbücher, ein paar Bände Jules Verne, der gar nicht Jules Verne heißt, sondern Schilvern, weil er ein Franzose ist. Auch Heine, Kleist und Hauff sind zu Meta übersiedelt und werden im Bücherkasten gar nicht vermißt. Die Gespenster kommen angeschlichen, und das Haus, das im Sommer geschwiegen hat, fängt wieder an zu erzählen. Es knistert und rieselt, und seine Schindeln klappern in den Herbststürmen. Unter dem Küchenboden arbeiten die Mäuse, und das Haus bedrängt Meta mehr als je zuvor. Was will es eigentlich von Meta? Es sieht aus, als habe es beschlossen, sie ganz und gar zu verschlingen. Die Wände rücken näher aneinander und werden zu einer immerwährenden, leisen Bedrohung. Meta liebt und fürchtet das Haus, das eifersüchtig jeden Gedanken aus ihrem Kopf zieht und ihr beim Lesen über die Schulter blickt und mitbuchstabiert. Das ist lästig, und manchmal dreht Meta sich zur Wand und sagt: »Gib endlich Ruhe, du verstehst so nichts davon.« Aber das Haus knistert nur verstohlen und geht nicht weg. Bald mischt es sich in jede Geschichte ein und glaubt überall mit dabeigewesen zu sein. Was dabei herauskommt, merkt Meta an ihren Träumen. Da wohnt im Kabinett Mister Dick und verfaßt seine Denkschrift, und im Gästezimmer, das so kalt und düster ist, sitzt der Rabbi von Bacharach und wartet mit seiner Familie auf die Mörder. Das Haus dehnt sich im Traum, wächst zu riesigen Zimmerfluchten und endlosen Korridoren und schleppt alle Möbel aus Metas Büchern herbei. Es wird zu einem phantastischen Gebäude. Von einem Rittersaal steigt man auf den Heuboden, von einer schwarzen Rauchküche zu gewaltigen Dachböden, wo die Geister ihr Unwesen treiben, und über die Hühnerleiter gelangt man in prächtige Gemächer, in denen die Fürsten speisen. Sogar in ein Schiff kann das Haus sich verwandeln und braust mit vollen Segeln über das stürmische Meer; und manchmal erhebt es sich in die Lüfte, breitet riesige Schwingen aus und fliegt übers Gebirge davon bis in die russische Steppe. Man merkt, das Haus ist sehr ungebildet und bringt alles durcheinander, was es über Metas Schulter hinweg gelesen hat.

Aber es gelingt ihm, Meta so sehr zu verwirren, daß sie jedesmal zögert, ehe sie eine Tür öffnet. Das Haus hat die Gewohnheit, sie zu erschrecken, und nichts haßt und fürchtet Meta mehr, als erschreckt zu werden. Bestimmt wird sie eines Tages der Herzschlag treffen, und das Haus wird schuld daran sein.

Eine einzige Geschichte hat das Haus selber erlebt: »Meine Mutter, die mich schlacht, mein Vater, der mich aß«, und im Keller, unter Mauertrümmern, steht der blutbefleckte Hackstock. Kein Wunder, daß es darüber verrückt geworden ist und Meta manchmal mit jenem längst verstorbenen kleinen Mädchen verwechselt. So geht es eben mit den Verrückten, man kann sie lieben, aber man darf ihnen nicht trauen. Und einmal ist ein blauer Vogel ans Fenster gekommen und hat Meta aus blanken schwarzen Augen angestarrt. Vater sagt, das war ein Eichelhäher, aber Meta weiß, es ist der schöne Vogel Kiwitt. Er lebt im Wald und kann nicht sterben, und manchmal sieht er nach, ob seine Schwester noch im Haus lebt. Er hat Heimweh nach den alten Spielen. Es ist besser, wenn er nicht wiederkommt. Einmal reicht Meta Nandi einen Apfel und wird von einer großen Angst überkommen, gleich wird Nandi der Kopf herunterfallen. Sie wirft den Apfel weg und rennt aus der Küche. Diese Geschichte darf Nandi nie erfahren. Zum Glück mag er nur lustige Märchen. Bis jetzt ist er nicht in Gefahr, denn das Haus ist ganz mit Meta beschäftigt. Das ist gut so, sie kann bestimmt mehr Angst aushalten als Nandi. Aber wie lange wird es noch so bleiben? Im Herbst soll Meta ja in ein Internat in der Stadt kommen. Mama hat es so beschlossen, weil sie nicht für den Haushalt taugt und so spitze Knie hat, daß sie nie einen Mann bekommen wird. Vater ist noch dagegen, aber Mama wird ihn umstimmen, sie hat diesmal die Tochter auf ihrer Seite. Meta sieht ein, daß sie fortgehen muß. Sie weiß schon alles über die Welteislehre, und mehr kann sie hier nicht lernen. Außerdem wird das Leben neben Mama immer schwieriger. Sie soll nur sehen, wie langweilig es sein wird, wenn sie nicht mehr mit Meta streiten kann.

In diesem Winter entwickelt Nandi eine ungeheure Spielwut. Meta kann gar nicht genug neue Spiele für ihn erfinden. Manche werden nur einmal gespielt, andere sind große Erfolge. Wenn Nandi ein Spiel gefällt, will er es nicht wieder aufgeben. Er ist von einer Gründlichkeit, die Meta manchmal zuviel wird. Weil sie einmal behauptet hat, eine böse Spanierin zu sein, muß sie jetzt jeden Tag diese Rolle spielen. Nandi ist die Inquisition und hat die Aufgabe, Meta auf dem Gang hin und her zu treiben und ihren Kopf dreimal gegen jede Tür zu stoßen unter den Worten: »Gesteh, du böse Spanierin, wir werden deinen Stolz schon brechen.« Daraufhin muß Meta rufen: »Niemals gestehe ich, du blutiger Henkersknecht!« Der Gang hat vier Türen, und Metas Kopf muß sehr leiden. Sie bückt sich tief, damit Nandi sie fest an den Haaren fassen kann. Er nimmt seine Aufgabe schrecklich ernst und läßt nie eine Tür aus. Meta hat keine Ahnung, was sie gestehen sollte, und sie weiß auch nicht recht, was die Inquisition ist. Ihre Rolle verlangt nur, daß sie stolz und böse ist, und das gefällt ihr. Aber bald findet Nandi, die Inquisition müsse viel strenger vorgehen, und Meta muß jetzt auf den Knien die Stiege hinaufkriechen, und Nandi schlägt ihre Stirn dreimal gegen jede Stufe. Diese neue Note macht ihm viel Spaß. Meta hat blaue Beulen auf der Stirn und weigert sich weiterzuspielen. »Dann gesteh endlich«, rät Nandi. Das ist leicht gesagt, was soll sie denn gestehen? Nandi, der pedantische Henkersknecht, will alle Vergehen genau geschildert haben. Was kann denn die böse Spanierin wirklich verbrochen haben? Meta ist schon ganz verzagt. Muß sie denn in alle Ewigkeit mit blauen Beulen herumgehen? Sicher wird sie eine Gehirnerschütterung bekommen und dumm werden.

Eines Tages merkt Vater, was sich da auf der Stiege

tut, und verbietet das Spiel. Nandi ist untröstlich, aber Vater hat gleich einen Einfall und schlägt das General-Laudon-Spiel vor. Jetzt ist Meta von der Inquisition erlöst, denn das neue Spiel findet Nandis Beifall. Natürlich will er den General spielen, und Meta, froh, keine böse Spanierin zu sein, gibt nach. Nandi klopft an die Stubentür, und Meta ruft: »Wer ist da?« – »Ein General«, antwortet Nandi mit seiner tiefsten Brummstimme. »Welcher General?« – »General Laudon«, schmettert Nandi und tritt in die Stube, und jetzt muß Meta den Chor spielen und singen: »General Laudon, Laudon rückt an, rückt an. Mit vierzigtausend Mann rückt General Laudon an. General Laudon, Laudon rückt an.« Nandi schreitet gemessen die Front ab und salutiert nach allen Seiten. Manchmal spielt Vater mit, und dann verläuft alles viel glanzvoller. Er marschiert hinter Nandi durch die Stube und schwenkt als Fahnenträger das Tischtuch. Ganz leicht kann er vierzigtausend Mann ersetzen. Wenn die Armee müde ist, läßt Vater sich im Lehnsessel nieder und erzählt Laudons Heldentaten bei der Schlacht von Kunersdorf. Die Schlacht darf nur einmal in der Woche gespielt werden, weil hinterher das Wohnzimmer ganz verwüstet ist. In diesem Fall muß Meta das fliehende preußische Heer, den Chor und den Alten Fritz spielen. Der Alte Fritz wird ihre Glanzrolle, und Nandi vergißt sich und wälzt sich vor Lachen auf dem Boden, wenn sie, auf einen Stock gestützt, bucklig und weinend an ihm vorüberhinkt. »Und was war eigentlich nach der Schlacht von Kunersdorf?« bohrt Meta. Vater blinzelt und will nicht recht mit der Sprache herausrücken. Das ist sehr verdächtig. Mama, die eben aus der Küche gekommen ist, will den Mund auftun, als Vater mit einem beschwörenden Blick auf sie sagt: »Die Österreicher haben gewonnen, und der Alte Fritz hat sich nie mehr auf die Straße getraut.« Nandi starrt hingerissen auf Vaters Mund, aber Meta sieht, wie Mama sich mühsam beherrscht und schnell aus dem Zimmer geht. Vater hat gelogen. Meta möchte ihm am liebsten um den Hals fallen. Sie hat nicht gewußt, daß eine Lüge so wunderbar sein kann. Nie wieder fragt sie, was nach der Schlacht von Kunersdorf geschehen ist. Sie hofft, Nandi wird noch sehr lange die Wahrheit nicht erfahren. Wenn nur Mama ihre Wahrheitsliebe unterdrükken kann. Aber Mama hält den Mund und kommt nie mehr auf die Sache zurück. Diese eine Lüge hat sie Vater nicht übelgenommen. Meta ist sehr stolz auf ihre Eltern, die Nandi zuliebe sogar die Geschichte gefälscht haben.

Es schneit wochenlang, und weiße Gebirge türmen sich vor den Fenstern auf. Die Bauern können das Holz nicht fahren, und Vater ist viel daheim. Das bedeutet für die Kinder herrliche Zeiten. Jeden Tag muß Vater das Dreikönigslied singen: »Sie kamen vor des Herodes Haus, da schaut der Herodes zum Fenster heraus.« Es gibt unzählige Strophen, und Meta hat den Verdacht, daß Vater dauernd neue erfindet, denn jetzt tauchen auch schon die Onkel, Nachbars Stasi und Waldl im Lied auf. Und alle Figuren muß Vater spielen, Herodes, den Mohrenkönig und die Hirten, die sich benehmen wie die Holzknechte aus dem Tal. Gegen das Herodeslied hat Mama nichts einzuwenden, aber Vater weiß eine Menge andere Lieder wie »Im schwarzen Walfisch zu Askalon« und »Es war einmal ein Kandidat, der ganz entsetzlich saufen tat«. Und davon will Mama nichts wissen, sehr zu Nandis Kummer, dem es der Kandidat angetan hat. Beim Zuckersieben singt er laut: »Die Kehle hing ihm in den Bauch wie ein Hamburger Spritzenschlauch.« Daraufhin hat Mama im Schlafzimmer eine Unterredung mit Vater, und er kehrt reumütig zum Herodeslied zurück.

Ganz geheuer ist das alles Mama nicht. Sie findet, Vater ist ein erwachsener Mann und muß Würde bewahren. Die Kinder werden allen Respekt vor ihm verlieren, wenn er dauernd mit ihnen spielt. Aber was soll Vater denn tun? Kann er die zwei barsch von sich weisen? Nein, das kann Vater nicht. So läßt er sie weiterhin auf den Knien reiten und fragt: »Und wohin reiten wir jetzt?« Und die Kinder jubeln: »Nach Konstantinopel, nach Kirchdorf und nach Paris.« Und trab, trab, trab setzen sich seine braven Knie in Bewegung. Wenn es ihm zuviel wird, sagt er nicht »Verschwindet«, sondern schlägt vor, zur Abwechslung einmal zu exerzieren. So kann er wenigstens im Lehnsessel sitzen und braucht nur zu befehlen: rechtsum, linksum, marsch, kehrt euch und ruht. Nandi könnte stundenlang exerzieren, aber die Abstände zwischen den Kommandos werden immer größer, und endlich verstummt Vater. Seine Augen sind geschlossen bis auf den Perlmutterspalt. Jetzt flüstert er ein letztes »ruht«, und die Kinder schleichen auf Zehenspitzen aus dem Zimmer.

Im Frühsommer bekommt Mama eine weiße Henne geschenkt. Irgend jemand hat sie mitgebracht, weil die weißen Hennen lieber brüten als Mamas Italienerhühner. Bald zeigt sich, daß die eingesessenen Hennen die Neue nicht leiden können. Auch der Hahn will nichts von ihr wissen und peckt sie, sobald sie in seine Nähe kommt. Meta tut die dicke Weiße leid. Bestimmt hat sie Heimweh nach ihrem alten Hof und nach dem großen weißen Gockel. Mama nennt die Henne Eulalia, und Meta findet das sehr passend. Eulalia ist entschieden etwas Fettes, Dummes und Weißes. Meta gewöhnt sich daran, Eulalia zu streicheln und zu ihr zu reden, und auf einmal wird sie das arme Wesen nicht mehr los. Den ganzen Tag rennt die Henne hinter ihr her und hüpft sogar die Stiege hinauf und in Metas Zimmer. Das verbietet Mama sich energisch; Hennen sind nicht stubenrein, außerdem haben sie Läuse und Milben, von den Bazillen ganz zu schweigen. Aber Meta bringt es nicht fertig, die Zudringliche zu verscheuchen. Wenn sie unter dem Birnbaum sitzt, hockt Eulalia neben ihr und starrt sie aus törichten, vorwurfsvollen Augen an. Die beiden werden zum Gespött des Hauses. Aber wie es so geht, Eulalias blinde Liebe weckt auch in Meta Zuneigung. Es ist gut, geliebt und angebetet zu werden, und sei es auch nur von einer weißen Henne. Für Eulalia gibt es keine größere Seligkeit, als von Meta im Hof hin und her getragen zu werden. Dabei stößt sie kleine zufriedene Gluckser aus. Sie läßt sich nur von Meta füttern und geht nicht mit den andern Hühnern in die Steige, sondern muß am Abend von Meta in der Tenne auf einen Balken gesetzt werden. Dort verbringt sie ihre einsamen Nächte. Am Morgen wartet sie schon vor der Haustür und empfängt Meta aufgeregt gackernd. Meta begreift, sie ist für Eulalia der liebe Gott. Aber was für einen schwachen unverläßlichen Gott hat sich das arme Tier erwählt. Was soll aus dieser Liebe werden? Meta muß doch im Herbst ins Internat. Mama verspricht zwar, gut für die Henne zu sorgen, aber was nützt das, wenn Eulalia nur Meta lieben kann.

Die ersten vierzehn Tage im Internat merkt Meta gar nicht, was um sie herum vorgeht, weil sie immer an ihre Henne denken muß. Mama schreibt einmal, es gehe Eulalia gut, aber Meta glaubt nicht recht daran, und wirklich, bald darauf gesteht Mama in einem Brief, daß man sie schlachten hat müssen, weil sie aufgehört hat zu fressen. Sie ist eine sehr zarte fette Nudelhenne gewesen. Das ist eine lehrreiche und traurige Geschichte. Meta beschließt, nie wieder ein trauerndes Wesen leichtfertig trösten zu wollen. Jetzt hat sie auch noch diesen armen Hühnergeist am Hals. Wenn Mama sie wenigstens würdig bestattet hätte, aber eine Nudelhenne, nein, das ist zu arg. Meta antwortet nicht auf diesen Brief; sie will nicht, daß Mama sie für überspannt hält, und bald beginnt die Erinnerung an Eulalia zu verblassen, und allmählich wird Metas früheres Leben unwirklich und schattenhaft.

Die Tage und Wochen kriechen dahin, und sie glaubt nicht mehr, daß es das Forsthaus und seine Bewohner wirklich gibt. Sie lebt in einer unbegreiflichen kalten Welt, in der sie bestimmt bald sterben wird müssen. Es macht ihr ohnedies nichts aus, es gibt gar nichts mehr, was sie freuen könnte, und immerzu muß sie kratzende schwarze Wollstrümpfe anziehen. Sie erwähnt ihren Verdacht in keinem Brief. Wer weiß, was mit ihren Briefen geschieht. Wahrscheinlich gibt es ein großes Zimmer, in dem die Post der vielen heimwehkranken Kinder vermodert. Jeder Brief, den sie schreibt, wird zensuriert, also ist es besser, möglichst wenig zu schreiben. Die Nonnen sollen gar nicht wissen, wie ihr zumute ist. Freilich, sie bekommt Post von Mama, aber diese Briefe hat sicher eine Nonne geschrieben. Die Nonnen sind überhaupt sehr schlau und erzählen immer von den Weihnachtsferien; das tun sie bestimmt nur, um die Kinder still und fügsam zu halten. Und die andern sind so dumm und glauben das Gerede. Die packen sogar ihre Koffer und sind voll freudiger Erwartung. Meta hat auch ihren Koffer gepackt, aber nur, um nicht aufzufallen. Sie sitzt im großen Studiersaal und hat sich ganz in sich zurückgezogen. Dann spürt sie die Kälte nicht, es ist gut, sich nicht zu bewegen, nicht zu hören und nichts zu sehen. Dann kommt jemand, und sie zuckt unter der fremden Berührung zusammen und läßt sich widerstandslos die Stiegen hinunterführen bis zur Pforte. Und da steht Vater und breitet die Arme aus. Meta vergißt in diesem Augenblick die vergangenen Monate und ist mit einem Schlag gesund. Sie begreift nur nicht ganz, was sie in diesem großen grauen Haus zu suchen hat.

Vaters Mantel riecht vertraut nach Holz und Tabak; wie hat sie nur glauben können, es gäbe Vater gar nicht? Sie versteht überhaupt nichts mehr und geht schweigsam an seiner Hand zum Bahnhof. Und dann sitzen sie im Zug, und Meta schaut nicht aus dem Fenster auf die bläuliche Schneelandschaft, sie merkt auch nicht, daß andere Leute im Abteil sitzen, sie sieht nur Vater und kann gar nicht aufhören ihn anzuschauen. Es war ganz falsch, von daheim wegzugehen. Sie wird Vater bitten, sie nach den Ferien daheim zu behalten. Bestimmt wird er sie nicht zurückschicken in die Stadt, wo sie nicht wirklich leben kann. Vater ist fröhlich und aufgeräumt, er kann nicht verbergen, wie er sich freut, sein kleines Mädchen wiederzuhaben.

Als der Zug hält, ist es schon finster. Vater nimmt Meta an der Hand und hebt ihren Strohkoffer mit der schmutzigen Wäsche aus dem Netz. Und so wandern sie dem Forsthaus zu. Über die Brücke, wo der grüne Fluß unter Eis verstummt ist, den Berg hinauf und vorbei an den einschichtigen Gehöften, bergauf und bergab. Vater zündet seine Laterne an und hängt sie an den Knopf des Überrocks. Ihr Licht zaubert tanzende Schatten auf die Schneewälle am Wegrand. Wie der Schnee unter Vaters Schuhen knirscht! Es gibt bestimmt keine Gefahr, die er nicht abwehren könnte. Der Weg ist weit, und es begegnet ihnen kein Mensch. Meta ist froh darüber, sie will noch nicht aus ihrer Zweisamkeit gerissen werden. Vater plaudert so leicht dahin, es scheint sich gar nichts seit dem Herbst ereignet zu haben. Nach dem Kloster fragt er nicht, als wüßte er, daß Meta nicht erinnert werden will.

Und endlich kommt es: »In Rußland sind wir auch so marschiert, aber nicht eine Stunde, tagelang.« Jetzt weiß Meta, daß sie wirklich ganz daheim ist, und freudig folgt sie Vater auf den altvertrauten Straßen zum Regiment. Der Arme, wem kann er denn seine Geschichten erzählen, wenn sie nicht da ist? Nichts hat sich geändert. Sie stehen schon fast vor Kiew, als die Lichter im Tal aufblitzen. Jetzt geht es einen kleinen Berg hinunter, und plötzlich springt ein schwarzer Hund hinter einem Busch hervor. Aufschreiend wirft Meta sich gegen Vater. »Ein Hund, ein schwarzer Hund!« Vater bleibt stehen und leuchtet hinter den Busch. Da ist gar nichts. Aber eben ist da noch ein Hund gewesen, er hat sich nur vor Vater getrollt. Aber es sind keine Spuren zu sehen. Also ist es auch kein wirklicher Hund gewesen. Meta weiß sofort, wo er hergekommen ist. Eine Begrüßung der wartenden Gespensterschar. Vater lacht noch ein bißchen über den Hund, und Meta schämt sich. Sie will nicht für feige gehalten werden.

Sie lacht leise und vorsichtig mit. Es ist besser, der Hund merkt nicht, daß sie ihn auslacht; Gespensterhunde nehmen so etwas sehr übel. Sie möchte ihn nicht nachts an ihrem Bett wiedersehen.

Aber jetzt sind sie schon auf der Brücke über den Bach und an der Mühle. Das Mühlrad steht still und hängt voll Eiszapfen, die im Laternenschein glitzern. Und schon fängt der Obstgarten an. Meta wird immer schneller, wie ein Pferd, das den Stall wittert, und die Luft brennt in ihren Lungen. Die schwarzen Umrisse des Hauses tauchen auf. Das Stubenfenster ist goldgelb erleuchtet, und der Brunnenrand starrt vor Eis. Wie gut ist es, nach Hause zu kommen. Meta stolpert über die Schwelle, und da kommt schon Nandi angesaust und springt an ihr hoch. Ganz benommen blinzelt Meta ins Licht, und als sie Mamas duftende Wange an der ihren spürt, fängt sie leise zu weinen an. Vor Aufregung kann sie gar nichts essen. Wenn nur Mama nicht immer nach dem Kloster fragen wollte. Freilich, sie weiß ja gar nichts. Sie ahnt nicht, woher Meta kommt, aus einer fremden, kalten Welt. »Laß sie«, sagt Vater, »sie ist doch todmüde.« Meta kann wirklich alles nur verschwommen sehen, Nandi, Berti, Waldl und den Adjunkt. Plötzlich ist sie nicht mehr in der Stube, sondern im Bett. Mama hat sie zu Nandi ins Kabinett gelegt, in das Bett, in dem früher Tante Wühlmaus geschlafen hat. Meta ist froh darüber und stellt sich vor, wie enttäuscht die Gespenster sein werden. Sie flüstert noch ein wenig mit Nandi, und dann weiß sie nichts mehr von sich.

Einmal erwacht sie mitten in der Nacht und hört die Telefondrähte singen. Sie legt die Handfläche an die Wand und streckt sich seufzend lang aus. Und das

Haus fängt an zu knistern und zu wispern. Es breitet seine Arme aus, und Meta fällt hinein. »Geh nicht wieder fort«, flüstert das Haus, »bleib bei mir, bleib.« – »Nein«, sagt Meta mit steifen Lippen, »nie mehr«, und gleitet tiefer und tiefer in die wispernde warme Dunkelheit.

Alles geht viel zu schnell. Weihnachten ist vorüber und auch Silvester, noch sechs Tage, noch zwei Tage, und immer noch hat Meta nicht gesagt, daß sie nicht in die Stadt zurückgehen mag. Die fiebrige Erregung hat sich gelegt, alles geht seinen altgewohnten Gang. Meta ist froh, daß Mama schon wieder kratzbürstig wird. Es gehört einfach dazu. Eine immerfort sanfte Mama ist beinahe unheimlich. Auch mit Nandi hat es schon einen Streit gegeben, beide Kinder sind jähzornig, aber sie können nicht nachtragen. Deshalb dauern ihre Auseinandersetzungen nie länger als zehn Minuten. Bis jetzt hat Meta den Gedanken an das Internat weit von sich geschoben, aber es wird allmählich Zeit, etwas zu unternehmen. Die Großen sind so gleichmütig, als ahnten sie gar nichts. Das ärgert Meta ein bißchen. Freilich, sie hat kein Wort vom Heimweh gesagt, aber wie könnte sie das. Sicher ist es eine Schande, Heimweh zu haben.

Am Abend des vorletzten Tages sitzen sie alle rund um den Tisch. Am nächsten Morgen soll der Christbaum abgeräumt werden, wie immer zu Dreikönig. Vater ist bei der dritten Schale Tee angelangt und ist sehr aufgeräumt. Im Ofen prasseln die Buchenscheiter, und es riecht nach Weihrauch und Süßigkeiten. Nach dem Essen wird ›Mensch ärgere dich nicht‹ gespielt, Nandi verliert und weint fast vor Zorn. Meta starrt ihn geistesabwesend an. Auf einmal weiß sie, was sie tun muß. Sie wird Vater nicht bitten daheim bleiben zu dürfen. Es geht einfach nicht. Sie kann nicht tun, als wäre nichts geschehen. Die anderen haben sich gar nicht verändert, aber sie kann die finstere Heimwehzeit nicht vergessen. Sie muß ganz allein mitten durch diese Hölle gehen. Vielleicht wird sie dann wieder ganz heimkommen dürfen. Nandis glattes Haar glänzt im Lampenlicht, aber Meta glaubt nicht, daß sie wirklich die Hand ausstrecken und ihn berühren könnte. »Du bist aber still«, sagt Mama, »ist das schon der Abschiedsschmerz?« Mama hat wirklich keine Ahnung, wie könnte sie sonst derartige Fragen stellen. »Nein«, sagt Meta, »ich hab' nur ein wenig Bauchweh.« – »Da siehst du«, sagt Mama, »wie kaltschnäuzig deine Tochter ist.« Vater antwortet nicht, und seine Augen bleiben auf Meta haften. Große, rauchblaue Augen, von denen man nie weiß, wieviel sie gesehen haben. Meta senkt den Kopf, und Vater blickt rasch zur Seite. Er hat sie verstanden, es muß nicht mehr darüber geredet werden.

An diesem Abend erzählt Meta im Bett keine Geschichten und stellt sich schlafend, bis sie Nandi gleichmäßig atmen hört. Die Telefondrähte singen wie jede Nacht, dies ist ein sehr kalter Winter. Sie denkt an den Bach, der leise unter der grünen Eisdecke gurgelt, und an die Bäume, die im Frost knacken. Auch Meta friert in ihrem warmen Bett. Das Haus ist böse und schweigt. Es gibt gar keine Entschuldigung, Meta hat ihr Versprechen nicht gehalten. Vielleicht wäre es gut, ein bißchen zu weinen, aber dazu ist es zu kalt. Sie ist ganz und gar eingefroren, und immer noch schickt das Haus Kälte aus der Wand. Morgen wird der Christbaum abgeräumt, und übermorgen wird sie in ihrem schwarzen Schulmantel durch die langen Korridore gehen und nur zu bestimmten Stunden sprechen dürfen. Beinahe wünscht sie, es wäre schon soweit. Das Warten ist sehr schlimm. Wenn nur das Haus wispern wollte, aber das Haus schweigt, und deutlicher könnte es gar nicht reden. ›Du hast mich im Stich gelassen, geh fort, ich fang' schon an, dich zu vergessen.‹ Meta steigt aus dem Bett und geht zum Fenster. Der Mond ist aufgegangen und gießt sein gnadenloses Licht über die Schneeflächen. Später sieht sie hinter geschlossenen Lidern die weiße Mondscheibe kleiner und kleiner werden. Jetzt ist sie nur noch ein rötlicher Punkt und erlischt. Die Kälte hat den Mond verschlungen, jetzt gibt es nur noch eisige Finsternis.

Nandi sitzt auf einem Schemel mitten im Hof. »Was machst du denn da?« erkundigt sich Meta. »Ich denke nach.« – »Was denkst du denn?« – »Was ich einmal werden soll, aber jetzt weiß ich es schon, Naturgeschichtsprofessor.« Meta staunt, Nandi ist erst sieben Jahre und weiß schon, was er werden will. Sie ist ein bißchen traurig, weil Mama ihm die Haare geschoren hat. Er sieht so fremd aus. »Und was wirst du tun als Naturgeschichtsprofessor?« Nandi beginnt sich für das Thema zu erwärmen. »Ich sammle Pflanzen und Tiere und mache Ordnung in der Naturgeschichte.« Meta hat gar nicht gewußt, daß es bisher in der Naturgeschichte so schlampig zugegangen ist. Sie traut Nandi ohne weiteres zu, Ordnung zu machen. Sicher wird dann die Naturgeschichte aussehen wie seine Spielzeuglade. Sie weiß nicht, ob das wirklich wünschenswert ist. »Aber bis dahin können wir doch im Bach spielen.« Nandi schüttelt das verschandelte Haupt. »Ich darf nicht im Bach spielen, dort liegen alte Sensen und Glasscherben.« Meta ist tief beeindruckt. Was ist das für eine komische Art zu reden. »Zum Teufel, dann gehen wir halt in den Wald und bauen uns ein Haus.« – »Ich darf nicht in den Wald gehen, dort gibt es Kreuzottern, und man sagt nicht ›zum Teufel‹, das ist ordinär.« Meta merkt endlich, was geschehen ist. Mama hat ihre Abwesenheit benützt und Nandi zu einem braven Kind gemacht. Das ist so schrecklich, daß ihr vor Zorn die Tränen in die Augen steigen. »Aber was tust du denn die ganze Zeit?« fragt sie mit schwacher Stimme. »Ich spiele auf dem Sandhaufen oder lese Brehms Tierleben.« Meta spürt den Zorn in ihr anschwellen. Wenn Nandi wenigstens seine Haare noch hätte! Plötzlich kann sie sich nicht mehr halten und muß ihm eine Ohrfeige herunterhauen. Und siehe da, Mamas gute Erziehung ist wie weggeblasen. Nandi stürzt sich wie ein kleiner Stier auf seine Schwester. Es kommt zu einer wilden Balgerei, aus der beide atemlos auftauchen. »Gehn wir jetzt zum Bach oder nicht?« fragt Meta, und Nandi, noch rot vor Zorn, nickt. Er schneidet sich weder an Sensen noch an Glasscherben, und langsam taut er auf und wird wieder normal. Mama sagt nichts dazu, daß Nandi plötzlich alle Gebote übertritt. Meta weiß genau, was sie denkt: Im Herbst werde ich ihn schon wieder auf gleich bringen. Armer Nandi, was für ein ödes Leben er das ganze Jahr hindurch führen muß. Aber warum wehrt er sich auch nicht. Vielleicht ist es so, daß er sich gegen Mama ebensowenig wehren kann wie sie, Meta, gegen Vater. Nur ist Vaters Herrschaft leicht zu ertragen. Selbst wenn man bedenkt, wie angenehm Mamas Wange riecht, scheint es Meta, als habe sie das bessere Los gezogen.

Nandi möchte wissen, wie es in der Schule ist. Meta äußert sich dazu möglichst begeistert. Die Schule ist ja wirklich der einzige Lichtblick im Kloster. Über das Internat schweigt sie lieber. »Ich war Lehrmittelhelferin und hab' jede Woche das Stachelschwein abgestaubt.« Nandi ist elektrisiert. Das Stachelschwein gehört zur Naturgeschichte, und er will mehr darüber wissen. »Na ja«, sagt Meta, »das Stachelschwein ist leider tot, ein lebendiges wäre mir lieber.« Und sie sieht sie alle vor sich, die armen Ausgestopften, die nach Staub und scharfer Medizin riechen. Sie schildert also ganz genau das sonderbare Stacheltier und unterdrückt heldenhaft die Versuchung, ihm ein drittes Paar Beine und einen roten Federschopf anzudichten. »Bestimmt«, sagt Nandi vorwurfsvoll, »hast du es schlecht abgestaubt.« Das klingt verdächtig nach Mama, und Meta versucht abzulenken. »Möchtest du dir nicht die Haare wieder wachsen lassen?« Aber Nandi hält nichts davon. Sein Kopf bleibt so schön kühl, meint er. Das ist sehr bedauerlich. Meta sieht im Traum ihren Bruder immer noch mit seiner glatten glänzenden Pagenfrisur, als dicken Engel in Spielhosen. Der Traumnandi gefällt ihr viel besser als dieser geschorene Schulbub. Aber auch sie hat sich ja verändert. Ihre Haare sind nachgedunkelt und haben jetzt die Farbe von Vaters Bart. Außerdem sind sie weniger geworden, weil die Schwester beim Frisieren ihr jeden Tag ein Büschel ausgerupft hat. Mama sagt: »Jetzt siehst du nicht mehr aus wie ein junger Löwe«, und sie scheint es sogar zu bedauern. Sie muß ganz vergessen haben, was sie immer über die krausen Haare gesagt hat.

Diesmal fällt es Meta schwer, sich umzugewöhnen. Sie kann die beiden Welten, in denen sie leben muß, nicht mehr voneinander trennen. Das gibt ihr ein unbehagliches Gefühl. Außerdem sind ihre Beine plötzlich viel zu lang und die Knie spitzer als je zuvor. Mama neckt sie immer wieder damit. Vater meint, bis sie heiratet, werde das alles in Ordnung kommen. Also rechnet er damit, daß sie eines Tages runde Knie bekommen und heiraten wird. Meta glaubt nicht recht daran, sie hat sich schon damit abgefunden, daß sie allein bleiben wird, und findet Gefallen an dieser Vorstellung.

Die Onkel und Tanten kommen und erfinden ein neues Spiel, Hölzerwerfen. Sie lassen immer Nandi gewinnen, weil er schrecklich ehrgeizig ist und nicht vertragen kann, einmal zu verlieren. Meta findet das recht läppisch, wenn sie auch ein klein wenig stolz darauf ist, als Erwachsene behandelt zu werden. Erwachsene müssen verlieren können, ohne mit der Wimper zu zucken.

Onkel Schorsch schreibt eine Ballade, und Tante Wühlmaus schläft eine Woche lang in Metas Zimmer und schwelgt in ihren Liebesenttäuschungen. Aber alles ist nicht ganz wirklich. Endlich gelingt es Meta, Vater ein paar Bücher zu entlocken, ›Die Ziege des Herrn Seguin‹, ›Tolstois Erzählungen‹ und eine sehr merkwürdige Geschichte, die von einem gewissen Archibald berichtet, der immer sieben Jahre gescheit und sieben Jahre idiotisch ist. Dadurch gerät er in sehr unangenehme Lagen. Er sperrt seine Geliebte in ein unterirdisches Gelaß und wird gleich darauf von den sieben idiotischen Jahren überfallen. Als er endlich wieder gescheit ist, findet er die Geliebte als Skelett vor. Diese Geschichte ist sehr grausig, und das Skelett gesellt sich zu Metas Gespensterschar. Dies scheint ein Sommer der Bücher zu werden. Sie sind wirklicher als alles, was um Meta herum geschieht. Mama ist nachsichtiger geworden. Es scheint sich nicht zu lohnen, mit einem Kind zu streiten, daß nur acht Wochen hier sein wird.

Außerdem ist sie stolz auf Metas schönes Zeugnis. Meta entdeckt, daß Mama sehr ehrgeizig ist. Sie sagt oft, sie gäbe alles darum, noch einmal zur Schule gehen zu dürfen. Vater ist das Zeugnis gleichgültig. Er hätte Meta auch gern, wenn sie dumm wäre. Es ist beruhigend, dies zu wissen, für alle Fälle. Meta fürchtet nämlich, daß sie doch nie die Mathematik begreifen wird. Ihr Ansehen bei den Lehrern ist auf ihre plötzlichen Anfälle von Gescheitheit begründet. Manchmal zuckt etwas in ihrem Kopf, und sie muß aufspringen und ganz neue Erkenntnisse verkünden. Peinlich daran ist nur, daß sie nie erklären kann, wie sie sich das alles ausgedacht hat. Sie kann diese Anfälle auch nicht herbeiführen. Nachdenken nützt ihr überhaupt nichts. Es ist geradeso, als habe ein viel Gescheiterer ihr etwas eingesagt. Was wird geschehen, wenn diese Eingebungen eines Tages ausbleiben werden? Merkwürdig, wie zäh ein guter oder schlechter Ruf sich hält. Wenn Meta einmal nicht viel weiß, heißt es verständnisvoll, jeder kann einmal einen schlechten Tag haben. Aber wehe den Armen, die für dumm gelten, sie könnten plötzlich weise sein wie Salomo, und kein Lehrer nähme es zur Kenntnis. Alles ist sehr unsicher und von tausend Zufällen abhängig. Wenn sie nicht auf der Hut ist, wird bestimmt einmal etwas Schreckliches geschehen. Es wäre viel besser, bei diesen plötzlichen Erleuchtungen zu schweigen, aber sie kann es nicht, die Worte purzeln dann nur so aus ihrem Mund. Ein Glück, daß sie wenigstens in den Ferien nicht daran denken muß.

Manchmal entwickelt Meta beim Lesen ein sonderbares Schuldgefühl. Es ist einfach zu angenehm. Etwas so Angenehmes muß verdächtig sein, denn, so hat man ihr eingeprägt, das Gute und Wertvolle ist nur unter großen Mühen und Plagen zu erreichen. Und sie haßt Mühen und Plagen und wünscht sich ein heiteres leichtes Leben. Das ist ganz und gar nicht in Ordnung. Die Strafe dafür ist ihre ewige Unzufriedenheit mit sich selbst. Während Meta auf dem Bauch liegt und liest, plagen sich rund um sie alle anständigen Leute. Mama kocht und bäckt in ihrer glutheißen Küche, Berti schuftet in der Heuwiese, und Nandi, so jung er ist, denkt darüber nach, wie er Ordnung in die Naturgeschichte bringen könnte. Freilich, die Onkel und Tanten tun nichts als spielen, aber sie haben sich angeblich das ganze Jahr lang geplagt, während Meta sich in der Schule nicht im geringsten angestrengt hat. Sie muß wirklich nicht ganz normal sein, daß sogar das Lernen ein Spaß für sie ist.

Bei Vater ist Meta nicht ganz sicher. Sie vermutet, daß er Mühen und Plagen auch verabscheut, denn er redet nie über seine Leistungen. Viel lieber läge er im Lusthaus und träumte von Rußland und vom Regiment. Sonderbar, Vater und Mama haben nie Urlaub und fahren nie auf Erholung. Dieser Gedanke verschärft Metas Schuldgefühl, und sie drängt ihn von sich und schlüpft in ihr Buch zurück.

Der Sommer ist ganz anders als alle Sommer vor ihm. Meta liegt auf der abgemähten Wiese und starrt in den Himmel. Sie schämt sich, weil sie so faul ist, aber sie bleibt regungslos liegen. Etwas verändert sich von Tag zu Tag, und sie kommt ihm nicht auf die Spur.

Ihr Körper, einst so vertraut und geliebt, fängt an, unerfreulich zu werden, und ist nicht mehr eins mit ihr. Sie bewegt sich zu langsam oder zu rasch und verletzt sich fast jeden Tag. Manchmal ist sie streitsüchtig oder weinerlich, und sie kann nicht mehr so unbeschwert mit Nandi spielen wie früher. Und dann gibt es Tage, an denen sie wieder ganz daheim ist, aber sie werden immer seltener. Und ganz bestimmt werden ihre Beine immer länger und ihre Knie immer spitzer. Sie will auch nicht zunehmen, und Nandi muß jeden Tag insgeheim ihre Schlagobersportion vertilgen.

Und der Sommer zieht sich hin. Er verbrennt das Gras vor dem Haus zu häßlichem Rostbraun, und Vater muß ein neues Faß Most für die Heuer anschlagen. Früher war der Sommer immer viel zu kurz, diesmal will er kein Ende nehmen. Die Onkel und Tanten reisen in der letzten Augustwoche ab, und Mama ist schmal und müde vom vielen Kochen. Die Familie ist mit sich allein, und das bedeutet, daß man Meta mehr beachtet, als ihr lieb ist. Nandi hat sich ein wenig von ihr entfernt. Er hat im vergangenen Jahr gelernt, allein zu sein, und braucht Meta nicht mehr so notwendig wie früher. Einsam und in sich versunken spielt er vor seiner Spielzeuglade und wird böse, wenn sie seine Ordnung stört. Meta hat das Gefühl, nirgends wirklich daheim zu sein, und etwas wie Panik erfaßt sie.

Eine Woche vor der Abreise beschließt sie, die alten vertrauten Orte aufzusuchen, vielleicht wird dann alles wieder gut werden. Sie geht hinunter zur Bachwiese, umkreist scheu das Widderhäuschen und sieht die Brennesselheerschar im Winde wogen. Diesmal erstarren sie nicht in wilder Abwehr. Sie haben ihre Feindin vergessen und beachten sie gar nicht. Meta senkt den Kopf und trabt zum Heckenrosenstrauch. Die kühlen Blätter gleiten durch ihre Finger und werden nicht lebendig. Der Strauch erkennt sie nicht wieder. Es ist sinnlos, ihn länger zu bedrängen. Rund und in sich geschlossen träumt er sein Leben, Meta ist ausgesperrt. Sie geht zurück zur Straße. Der kleine Felsen, auf dem immer die ersten Erdbeeren reifen und in dem einmal die Kreuzotter gewohnt hat, liegt leer und grau im Licht. Er scheint eingeschrumpft zu sein. Aber das gibt es wohl nicht, alles erscheint ihr ja kleiner als früher, das Haus, der Stall und die Zimmer. Meta ist traurig, und plötzlich merkt sie, daß ihre Trauer nicht echt ist. Sie spielt nur Traurigsein, weil sie es eigentlich sein müßte. In Wirklichkeit spürt sie gar nichts. Sie könnte noch den großen Stein hinter dem Roßstall auf die Probe stellen. Das Verlangen zerrt an ihr, ihr Gesicht an den Stein zu pressen und den alten Moosgeruch zu riechen. Aber schon ist es vorüber, sie weiß, sie möchte es nur tun, weil sie es so oft getan hat. Kälte breitet sich in ihr aus und ein leeres Gefühl wie Hunger.

Jetzt weiß sie nicht mehr, wohin sie gehen könnte. So bleibt sie regungslos mitten auf der Straße stehen und spürt die Sonne im Nacken nicht. Vielleicht ist sie, ohne es zu merken, gestorben. Aber dann stünde sie ja nicht da. Nein, gestorben ist sie nicht, denn jetzt setzt sich eine Bremse auf ihren Arm und wird gleich zubeißen. Ja, sie ist lebendig, der Biß tut weh, wie immer. Schon hebt sie die Hand, um das lästige Geschöpf zu erschlagen, und läßt sie wieder sinken. Was geschieht denn eigentlich, wenn man eine Bremse nicht stört? Plötzlich hat Meta ihren Kummer vergessen und sieht nichts als das kleine graue Tier auf ihrem Arm. Es ist unendlich wichtig, alles über die Bremse zu erfahren. Jetzt sitzt sie ganz still und dem Genuß des Trinkens hingegeben. Dann stößt sie mit einem winzigen Ruck tiefer in Metas Haut vor und beißt noch einmal zu. Es brennt ein bißchen, aber so, als ginge der kleine Schmerz Meta nichts an; jetzt nimmt die Bremse also wieder einen Schluck Blut, und dann bohrt sie sich noch tiefer und beißt wieder zu. Fünfmal tut sie das, dann fangen ihre Flügel an zu zittern, sie zieht den Kopf zurück und fliegt taumelnd davon. Zum erstenmal sieht Meta, daß die Bremse schön ist, wie mit silbergrauem Staub bedeckt. Ein winziger Blutstropfen steht auf Metas Haut, und die kleine Wunde brennt gar nicht. Man muß die Bremsen nur ruhig ihre Mahlzeit trinken lassen, dann tun sie nicht weh. Meta ist zutiefst befriedigt, sie hat etwas Neues gelernt. Das wird Nandi bestimmt interessieren, wo er doch Naturgeschichte studieren will. Aber Nandi ist nirgends zu finden. Und plötzlich erinnert sich Meta, warum sie zum Bach gegangen ist. Nein, sie wird jetzt nicht den Stein besuchen, auch nicht den Pfingstrosenstrauch oder den Kletterbaum. Sie möchte nicht wieder diese Leere spüren, diesen Hunger, den man nicht mit einem Butterbrot stillen kann. Sie geht hinauf in ihr Zimmer und legt sich aufs Bett. Aber auch hier hat sie keine Ruhe. Die Wand macht Gesichter, teilnahmslose weiße Mondgesichter, die mitten durch sie hindurchblicken. Das Haus ist ja schon lange böse auf sie und hat ihr immer noch nicht verziehen. Es ist möglich, daß es nie wieder gut sein wird. Sie nimmt ein Buch und sieht die Gesichter nicht mehr, und als sie nach einer Weile das Buch weglegt, kann sie sich nicht an das Gelesene erinnern.

Am Nachmittag sitzt sie allein unter dem Birnbaum und tut gar nichts. Die Sonne steht schräg am Himmel und färbt die Luft über dem Tal. Das muß sie schon immer getan haben um diese Zeit, aber Meta hat es nie gesehen. Goldgrüne Wellen schlagen gegen die Bergwiesen. Honigwaben, denkt Meta, eine riesige Wabe voll tropfendem Waldhonig. Und sie ist ganz wirklich.

Meta spürt, wie auch in ihr wieder etwas lebendig wird. Sie möchte durch süße warme Gewässer gleiten und in schattige Abgründe tauchen, ganz tief hinunter, wo das Geheimnis verborgen liegt. Aber die große Luftwabe weiß nichts von ihr, sie ist ganz mit sich allein, in einer Seligkeit, die man sich gar nicht vorstellen kann. Langsam wird sie dunkler, die goldenen Lichter verlöschen, und Schatten fällt über das Tal. Die Bäume tropfen nicht länger vor Honig, trocken und einsam stehen sie in der farblosen Luft. Die Luft ist lebendig wie ein Tier oder eine Blume. Meta hat es erlebt und darf es nie wieder vergessen, dann kann ihr nichts geschehen. Jetzt ist die Luft schlafen gegangen. Meta springt auf und läuft hinter das Haus zum alten Moosstein. Aber sie geht nicht ganz nahe heran, und sie legt die Wange nicht an sein Gesicht. Und endlich versteht sie wieder seine Sprache. »Sei nicht traurig«, sagt der Stein. »Wir sind Freunde, aber wir können nicht mehr eins sein. Vergiß nicht, was mit uns geschehen ist.« Es ist alles ganz einfach, und es tut weh, aber das Wehtun ist gut, viel besser als der leere Hunger. Meta hebt die Hand und winkt, dann geht sie langsam fort. Bei den Brettern, die zum Keller führen, stößt sie mit der großen Zehe an und vergißt auf der Stelle den brennenden Schmerz, der sie durchfährt.

Sie sitzen alle um den Tisch, und Meta kann die Augen nicht von ihnen lassen. Ihr Kopf ist klar und leicht, und sie weiß, dies ist der Zustand der Erleuchtung, und was jetzt geschieht, darf sie nie mehr vergessen. Und sie weiß auch, daß sie es immer wieder vergessen wird. Alle sehen ein wenig kleiner aus als sonst, als habe eine große Hand sie von ihr abgerückt. Da sitzt Vater und löffelt seine Suppe. Sein Bart ist ein wenig ergraut, und er ist nicht mehr so allmächtig wie früher. Sein Leben lang wird er in den Wald gehen, rechnen, Holz messen und manchmal im Lusthaus träumen. Aber nie wieder kann er in seine Kindheit zurückkehren, und nie wieder wird er die Stimme seines Vaters hören, zwanzigtausend Meilen unter dem Meer. Und diese kleine blasse Frau ist Mama. Ihre Augen werden den verstörten Augen des kleinen Großvaters immer ähnlicher. Sie wird kochen und nähen bis zu ihrem Tod und die Kirchen und Galerien Roms nie wieder besuchen. Und gar nie wird Mama einen Brillantschmuck besitzen oder die Dame mit dem knielangen Haar wiedersehen. Auch Nandi hat schon eine Vergangenheit. Da sitzt er mit seinem geschorenen Kopf und seinem neuen Schulbubengesicht und sieht ganz zufrieden aus. Aber das kommt nur daher, weil er noch nicht weiß, daß es für ihn keine Rückkehr gibt auf Mamas Schoß, in die warme gelbe Kugel aus Licht und Seligkeit. Nie wieder wird er mit dicken Fingern jubelnd nach Mamas jungem Gesicht tappen. Auch er ist schon ausgeschlossen und allein.

Schrecklich ist diese Erkenntnis, als presse einer mit rohem Griff Metas Herz zusammen. Sie möchte aufspringen und sich irgendwo verstecken, aber sie kann sich nicht bewegen. »Was ist denn los«, sagt Mama, »du schaust ja so erschrocken aus?« – »Es ist nichts«, hört Meta sich antworten, »ich bin schon wieder fußmarod.« Und zaghaft stimmt sie in das ausbrechende Gelächter ein. Ab heute wird sie immer die Spiele der geliebten Fremden mitspielen. Mehr kann man nicht für sie tun. »Komm«, sagt Vater, »wir geben Jod auf deine Zehe«, und Meta steht auf und folgt ihm gehorsam in die Kanzlei.

Marlen Haushofer
Die Wand

Roman. www.list-taschenbuch.de
ISBN 978-3-548-60571-5

Eine Frau wacht eines Morgens in einer Jagdhütte in den Bergen auf und findet sich eingeschlossen von einer unsichtbaren Wand, hinter der kein Leben mehr existiert ...

Eines der Bücher, »für deren Existenz man ein Leben lang dankbar ist«. *Eva Demski*

»Wenn mich jemand nach den zehn wichtigsten Büchern in meinem Leben fragen würde, dann gehörte dieses auf jeden Fall dazu.« *Elke Heidenreich* in *Lesen!*

List Taschenbuch

L191